RAPAILLER NOS TERRITOIRES

Stéphane Gendron

RAPAILLER NOS TERRITOIRES

Plaidoyer pour une nouvelle ruralité

Préface de Dominic Lamontagne

écosociété

Coordination éditoriale: Barbara Caretta-Debays
Maquette de la couverture: Catherine D'Amours, Nouvelle Administration
Typographie et mise en page: Yolande Martel

ISBN 978-2-89719-795-7

Dépôt légal: 2ᵉ trimestre 2022

Ce livre est disponible en format numérique.

**Catalogage avant publication de Bibliothèque et Archives nationales
du Québec et Bibliothèque et Archives Canada**

Titre: Rapailler nos territoires / Stéphane Gendron.

Noms: Gendron, Stéphane, 1967- auteur.

Collections: Collection Parcours (Éditions Écosociété)

Description: Mention de collection: Parcours

Identifiants: Canadiana 20220003866 | ISBN 9782897197957 (couverture souple)

Vedettes-matière: RVM: Québec (Province)—Conditions rurales. | RVM:
Paysannerie—Québec (Province) | RVM: Communautés rurales—Québec
(Province) | RVM: Régionalisme—Québec (Province) | RVM: Développement
rural—Québec (Province) | RVM: Exode rural—Québec (Province)

Classification: LCC S451.5.Q8 G46 2022 | CDD 307.7209714—dc23

Les Éditions Écosociété reconnaissent l'appui financier du gouvernement du
Canada et remercient la Société de développement des entreprises culturelles
(SODEC) et le Conseil des arts du Canada de leur soutien.

Gouvernement du Québec – Programme de crédit d'impôt pour l'édition de livres
– Gestion SODEC.

TABLE DES MATIÈRES

*À toutes ces personnes qui ont su occuper le
territoire avec leur chair, leur âme, leurs émotions
et leurs convictions d'un mode de vie bien à nous.*

*Si nous sommes voués à disparaître, faisons-le
dignement jusqu'à la fin, comme celles et ceux
qui nous ont précédés sur cette terre d'emprunt.*

Rapailler nos savoir-faire

Stéphane Gendron écrit : « Au cœur du débat sur l'avenir de notre humanité, il doit nécessairement y avoir un élément de décroissance dont personne ne veut entendre parler. » Et pour cause ! Si l'on croit aujourd'hui encore qu'une croissance économique soutenue est l'apanage d'une société qui va bien, c'est qu'on oublie non seulement que les ressources de notre planète sont épuisables, mais aussi que l'opulence des uns découle généralement de l'appauvrissement des autres. À la lecture de l'ouvrage de Stéphane, je pense à l'abandon de nos terres au profit des villes, mais également à la dévalorisation de la polyvalence au profit de la spécialisation. D'une population plutôt rurale qui détenait une multitude de savoir-faire et savait s'en tirer avec les moyens du bord, nous sommes passés à une population plutôt citadine, beaucoup plus scolarisée, avide d'emplois spécialisés lui permettant de mettre en valeur un nombre de plus en plus restreint de compétences de plus en plus pointues. Ainsi est né le travail en silo : il ne s'agit plus d'être capable de tout faire avec un certain degré d'efficience, mais de faire une seule chose très efficacement. Obnubilée par de nouvelles ambitions productivistes, la population urbaine s'est laissée aisément convaincre qu'il était plus *moderne* d'acheter que de faire, et plus pratique de remplacer que de réparer. On s'est rapidement épris de cette société de consommation dont plusieurs commencent aujourd'hui à mesurer les limites et à admettre les travers.

C'est un état de fait qu'Yves-Marie Abraham explique mieux que moi dans son excellent plaidoyer en faveur de la décroissance, *Guérir du mal de l'infini* :

> La quête de productivité, qui est au principe de la dynamique capitaliste [...] se traduit [...] par une division du travail toujours plus poussée, c'est-à-dire par un processus constant de spécialisation des tâches. Chaque « travailleur » tend ainsi à devenir toujours plus compétent, mais sur un champ d'action toujours plus étroit. Il finit par conséquent, peu ou prou, par ne plus rien savoir faire d'autre que ce qu'exige la tâche particulière qui lui est confiée. Seule solution alors pour satisfaire ses besoins les plus élémentaires [...] : acheter des marchandises [...]. [Or] plus il prend l'habitude de consommer des biens qu'il n'a pas produits, moins notre « client-roi » devient apte à produire lui-même ce dont il a besoin pour vivre. Sa dépendance aux marchandises et à l'immense système sociotechnique dont elles sont issues ne fait que croître[1].

Et qui incarne mieux le paroxysme de cette vorace dépendance vis-à-vis d'autrui que ces métropoles bétonnées qu'il faut sans cesse approvisionner ? Comme un jeune enfant qui ramène tout vers sa bouche, la ville aux longues trompes chercheuses et insatiables gobe les ressources venues d'ailleurs en se moquant bien de tous ces prolétaires dont sa vie dépend. Et c'est là que le bât blesse : trop de gens lèvent le nez sur ces millions de travailleurs manuels mal payés qui leur permettent de se loger, de se nourrir et de se vêtir sans avoir à construire, à cultiver ou à tricoter quoi que ce soit. Quand réalisera-t-on que ceux et celles qui sont soi-disant restés « derrière », pendant que d'autres se précipitaient « devant », n'ont pas manqué le bateau, mais ont choisi de garder les pieds sur terre et les deux mains sur le volant ? Et pourquoi le travail manuel est-il si souvent associé à un manque d'éducation ?

« [La ruralité demeure] affectée par le syndrome de la colonie-comptoir dont souffrait la Nouvelle-France dans sa

---

1. Yves-Marie Abraham, *Guérir du mal de l'infini. Produire moins, partager plus, décider ensemble*, Montréal, Écosociété, 2019.

relation avec la Métropole, à l'époque», poursuit Stéphane
Gendron. Mais pourquoi un tel dédain pour les personnes
qui se salissent les mains, gagnent leur vie à la sueur de leur
front et préfèrent habiter en région? D'où nous vient cette
honte d'habiter sur un rang ou au fond d'un canton? N'est-ce
pas en allant à la campagne que nous nous ressourçons? Et si
le moment était venu de repeupler nos rangs, de désengorger
les villes et de nous reconnecter au vivant? Je ne parle pas de
revenir à la chandelle, mais bien de considérer, en toute luci-
dité, ce qui nous attend dans un futur proche. Nous n'avons
pas à choisir entre nos avancées technologiques et nos savoir-
faire d'antan; il s'agit plutôt de les combiner pour que nous
puissions évoluer de façon plus raisonnable.

Dans son livre, Stéphane Gendron entrevoit d'ailleurs un
futur où l'agriculture serait robotisée et produite hors champ,
dans un environnement peuplé de fermes-usines à la verticale.
«Lorsqu'on interroge les chercheurs et les producteurs, le
discours est unanime: si on veut augmenter la production alimentaire et nourrir la planète pour les 20 prochaines années,
il faudra réduire au maximum la main-d'œuvre et passer le
plus rapidement possible à la robotisation et à l'automatisation
des procédés.» Pour ma part, je nous souhaite autre chose:
une grande réappropriation collective de nos moyens. Une
urbanisation éclairée de nos régions. Une «dérobotisation»
de notre emploi du temps, qui privilégierait au contraire la
polyvalence, l'autonomie et la liberté de mouvement. C'est, je
crois, l'antidote au grand désenchantement qui gruge l'appétit
de vivre de plus en plus de gens. Je pense que nous sommes en
panne de sens. Et puisque s'intéresser au sens, c'est s'intéresser à la genèse des choses, il me semble nécessaire de reconsi-
dérer les assises de notre existence, de renouveler la réflexion
sur nos besoins de base. Voilà pourquoi je suis revenu tenir
feu et lieu[2] à la campagne. En conscientisant tout ce que le fait

---

2. Vieille expression qui signifie: défricher une terre, la mettre en valeur
et y construire et y habiter une maison.

de me nourrir exigeait, j'ai compris qu'une des raisons, si ce n'est LA raison principale pour laquelle l'agriculture conventionnelle peine à nourrir la planète sans la détruire – et sans détruire la santé de ceux et celles qui la pratiquent –, c'est le déséquilibre : trop peu de gens ont la lourde tâche de nourrir tous les autres.

Je ne crois pas que notre salut alimentaire réside dans une agriculture pratiquée par de moins en moins d'humains. D'abord parce qu'il est impératif que nous nous intéressions collectivement à la paysannerie, ne serait-ce que pour des raisons métaboliques, psychologiques et sociales absolument déterminantes pour notre santé. Ensuite parce qu'il est évident que nos besoins de base ne pourront pas être comblés de manière pérenne par de grands systèmes productivistes ultramécanisés et hyperspécialisés. Il faut remettre la main à la pâte. C'est un peu ce qu'a répondu Joel Salatin au philosophe Peter Singer quand ce dernier remettait en question le modèle agricole des fermes peu mécanisées, à dimension humaine, défendu par le fermier américain :

> Je peux vous dire que notre ferme est environ cinq fois plus productive que la ferme conventionnelle moyenne de notre comté. Non seulement nous pouvons nourrir le monde de cette façon, mais nous pouvons le faire beaucoup mieux qu'elle. [...] Maintenant, nous aurons besoin de plus de gens, il faudra davantage de gestion pour pouvoir procéder de cette façon, sans produits pharmaceutiques, sans produits chimiques, sans tous les bâtiments, et le béton, et les ventilateurs, et l'intensité énergétique associés à l'agriculture productiviste. Cela demandera plus de gestion, mais nous pensons que la présence d'êtres humains dans les exploitations agricoles est une bonne chose et que nous ne devrions pas tenter de réfléchir aux meilleures manières de nous en débarrasser[3].

---

3. Traduction libre de « Qu'il soit résolu que les animaux n'ont pas leur place dans nos assiettes », *Munkdebates.com*, saison 2, épisode n° 62, avec les invités Peter Singer et Joel Salatin, <https://munkdebates.com/podcast/animal-rights>.

Veiller en personne à toutes les étapes de production d'un bien, c'est là encore s'interroger sur le sens des gestes que l'on pose et comprendre un peu mieux leur raison d'être, non? Bien entendu, il faut accepter de prendre un peu de recul et abandonner certaines habitudes au profit d'un mode de vie nécessairement plus terre à terre et plus confrontant. Renouer avec l'esprit du colon – qui était fait « de charpente et de beaucoup de fardoches », pour reprendre les mots de Miron[4] – ne sera pas de tout repos, mais pourquoi ne pas ouvrir nos ailes pendant qu'il en est encore temps, au lieu d'aller nous écraser sur le béton? Contrairement à la serveuse automate, pour reprendre cette fois-ci les mots de Plamondon[5], je n'ai pas envie de « m'étendre sur l'asphalte et me laisser mourir ».

« Qui aura le courage et l'audace de n'avoir pour unique programme politique qu'un changement radical de notre mode de vie? » demande l'ancien maire de Huntingdon. « Il ne s'agit pas de porter au pouvoir un parti fédéraliste ou souverainiste, un parti de gauche ou de droite, mais bien un parti disposé à s'engager résolument dans la refonte complète de notre mode de vie individuel et collectif. » Cela fait plus de 10 ans que j'ai quitté Montréal pour habiter une de ces innombrables municipalités québécoises à la population chancelante, qu'on traverse seulement quand elles sont sur notre chemin et dont la majorité des terres sont redevenues des friches. Moi qui croyais, en arrivant dans mon village, que le plus difficile serait de remettre les terres en culture et les pâturages en état de nourrir mes bêtes, voilà que je me bats pour que le *colon 2.0* que je suis devenu ait droit de pratiquer son art, pour sa propre survie et celle de sa communauté.

« Le colon 2.0 n'est plus nécessairement un agriculteur ou un ouvrier associé à l'exploitation d'une terre, d'une ressource

---

4. Vers de *La marche à l'amour* de Gaston Miron: « Moi qui suis charpente et beaucoup de fardoches ».

5. Dans la chanson *Le monde est stone*. Paroles: Luc Plamondon, musique: Michel Berger (1978).

naturelle ou d'une industrie locale. Le nouveau colon est avant tout une personne qui s'installe en ruralité par choix. Il veut être ancré dans un territoire qu'il aura choisi. Il a un rêve à réaliser.» Si je persiste à vouloir réaliser mon rêve impossible, si je n'arrête pas de me battre pour que tous ceux et celles qui le partagent puissent le réaliser un jour, c'est que je considère qu'il n'a rien d'extraordinaire. C'est un rêve ordinaire : avoir le droit de se nourrir soi-même et de nourrir les autres par ses propres moyens, n'est-ce pas là la moindre des choses ? Encore faut-il que notre territoire demeure habitable, c'est-à-dire que l'accès aux terres y soit abordable et que les lois permettent d'y pratiquer une néopaysannerie rentable – à condition que celle-ci soit entreprise de façon écologique, donc durable.

«La modernité nous place devant une alternative : mourir dans la résistance aux changements ou plonger dans un monde encore rempli d'inconnues et renaître. Nous n'avons plus rien à perdre.» Oui, il faudra du courage, oui, il faudra de l'audace, mais le temps est venu d'embrasser le changement. S'il est une chose importante que la pandémie nous aura apprise, c'est qu'il est parfaitement possible de travailler autrement et, pour plusieurs, de le faire de chez soi grâce au télétravail. Pourquoi ne pas en profiter pour faire de notre foyer un endroit qui nous nourrit ? Faut-il tant de courage pour élever quelques volailles et faire pousser quelques fruits ? Faut-il tant d'audace pour s'occuper un peu plus de ses affaires que de celles d'autrui ? Chose certaine, l'essai de Stéphane Gendron nous porte à y réfléchir sérieusement. Même si ni lui ni moi ne savons ce que l'avenir nous réserve, il y a fort à parier que si nous voulons en faire partie, nous devrons rapailler ces savoir-faire qui, naguère, ont garanti notre survie et les revisiter à la lumière de ce que notre passage en ville nous aura appris.

DOMINIC LAMONTAGNE
Artisan fermier et auteur militant
Sainte-Lucie-des-Laurentides
Printemps 2022

AVANT-PROPOS

*Il y a 25 ans de travail et de sacrifices, homme et femme,
là-dedans. Pis en plus de ça, pour te prouver que les
sacrifices étaient extrêmement grands, ça fait huit ans
que j'ai des runs d'enfants d'école, tout mon argent a
été mis sur la terre, l'autobus a grossi la terre, crime!
J'ai travaillé treize ans à coups de force, à charrier de
la pitoune pour la compagnie Lebel. Ma femme restait
toute seule, je l'ai exploitée à mort, ma femme, crime!
Pour lui faire accroire qu'un jour, qu'on réussirait, qu'on
aurait un Royaume.
C'est faux cette affaire-là.
On est encore dans l'espérance de vivre.*

– Hauris Lalancette dans le documentaire
Un royaume vous attend[1]

Cet essai prend racine dans mon expérience personnelle. Il
est parsemé d'images, d'anecdotes, d'interrogations et de
réflexions. La trame de ma pensée est ainsi faite. Comme un
film qui se déroule au fil de ma quête du territoire.

Bien évidemment, j'ai pu puiser dans mes 10 années passées
à la tête de la mairie d'une ville de centralité en région rurale.
Quand je suis entré en fonction comme maire à Huntingdon,
ville bilingue située dans l'ouest de la Montérégie, j'avais le
privilège de servir une communauté relativement pauvre,
disposant d'une infrastructure industrielle vieillissante, et

---

1. Bernard Gosselin et Pierre Perrault, *Un royaume vous attend*, Office
national du film (ONF), 1975.

Hauris Lalancette sur sa ferme de Rochebaucourt, en Abitibi.
Source: Collection personnelle de Dany Lalancette.

généralement défavorisée sur le plan social et humain. Cette période de ma vie fut la plus exaltante de mes 15 années consacrées à la politique.

Pour alimenter ma réflexion, je me suis aussi référé à plusieurs documentaires qui ont marqué l'histoire cinématographique du Québec et qui ont su mettre en valeur la vie rurale.

Ce sont des œuvres qu'il faut constamment revisiter pour mieux comprendre notre réalité et nos origines.

J'ai cru bon de rapporter les témoignages – dans leurs mots et leurs expressions – de gens qui ont nourri notre ruralité et qui l'ont inspirée. Notre langue rurale a droit de cité, au même titre que la langue de bois ou celle des urbains. Elle est belle, notre langue rurale.

Par moments, mon questionnement est émotif ou cinglant. C'est l'instinct de survie. Par contre, ma réflexion se fonde sur des documents publics et des archives. On pourra différer sur leur interprétation ou les conclusions à en tirer, mais les faits objectifs demeurent à la base de mon propos.

Plusieurs personnes ont influencé ma pensée au cours des 20 dernières années. Pour cet essai sur l'occupation du territoire et la ruralité, je veux remercier toutes les personnes avec qui j'ai pu échanger, directement ou par écrit. Il s'agit d'un vaste sujet, qui va bien au-delà de l'agriculture et des ressources naturelles. Je tiens aussi à souligner la grande coopération des différents ministères et organisations qui ont su répondre avec diligence à toutes mes interrogations, le plus ouvertement possible.

Cet essai ne baigne pas dans l'optimisme. Toutefois, les exemples de résilience rurale existent, et nous devons en parler. Au-delà de l'anecdote, ils sont porteurs d'espoir et d'innovation, même s'il ne faut pas se bercer d'illusions. Depuis 2019, les médias font état d'un indice annuel censé mesurer le bonheur de la population selon les municipalités. Il s'agit d'un produit de marketing élaboré par la firme de sondage Léger, intitulé *L'indice de bonheur Léger* (IBL). À en croire les résultats divulgués en 2021, les régions seraient l'Eldorado. Or, cette grande enquête annuelle n'est pas représentative de la réalité, puisqu'elle est basée sur une participation volontaire et non sur un échantillon établi scientifiquement dans un environnement contrôlé. Pour répondre au questionnaire sur le bonheur, il suffit en effet de remplir un formulaire et de se créer un compte en ligne.

À titre d'exemple, l'indice IBL 2021 a déterminé que la ville de Shefford, en Estrie, était l'endroit au Québec où la population était la plus heureuse[2]. Lorsqu'on vérifie l'indice de vitalité économique de cette ville, déterminé par l'Institut de la statistique du Québec, on constate que celui-ci s'élève positivement à 7 alors que plusieurs communautés rurales pataugent littéralement dans la dévitalisation, avec un indice largement négatif. Shefford est une municipalité aisée et gentrifiée sur le plan socioéconomique. C'est facile d'être heureux quand on vit dans un ghetto de gens riches, instruits, relativement urbanisés et proches d'un grand centre ! C'est pourtant le miroir déformant de l'indice de bonheur Léger qu'on nous sert annuellement[3].

On aura beau peindre un portrait idyllique des régions, la ruralité est aux soins palliatifs. Une renaissance est-elle encore possible ? Je vous invite à lire cet essai comme la longue narration du film documentaire que j'aurais aimé réaliser sur l'occupation de notre territoire.

Merci du fond du cœur à ma conjointe Nathalie Collin. Sans elle, je ne serais plus ici à vous faire part de mes réflexions. Je dédie cet essai à mes enfants, Virginie, William et Clothilde. Ils feront mieux que leur père, j'en suis persuadé. C'est le cycle de la vie.

STÉPHANE GENDRON
Tsi:karístisere, le 1er mars 2022

---

2. Elisa Cloutier et Clara Loiseau, « Sondage Léger : les villes du Québec où il fait bon vivre », *Journal de Montréal*, 24 avril 2021.

3. Comme le mentionne la méthodologie de cette enquête, « l'indice de bonheur Léger (IBL) est un observateur social indépendant qui évalue l'état d'esprit général des populations afin de les comparer. Il se base sur 25 critères, dont la santé, le travail, l'amour, l'argent, la sensibilité environnementale ou la liberté, pour ne nommer que ceux-là ». Voir « Baromètre des régions où les Québécois sont les plus heureux », *Journal de Montréal*, 26 avril 2021.

Cette maison a été construite par mes grands-parents, Romuald Gendron et Blanche-Yvonne Michaud, lors de leur arrivée à Saint-Octave-de-l'Avenir, en Gaspésie, en 1937. Mon père y a vu le jour. Elle a été détruite sans état d'âme par le gouvernement du Québec, en 1972. *Source*: Collection personnelle de Martine Isabelle.

Comment je suis devenu rural

Laissez-nous vivre, laissez-nous entreprendre, laissez-nous créer et faire vivre nos campagnes pour redévelopper le territoire avant qu'il ne soit trop tard. La mort est à la porte et nous ne pouvons plus nous offrir le luxe d'attendre. Nous agonisons. Nous mourons. La fin est proche. Aidez-nous, et faites revivre l'espoir. Donnez-nous une chance de survivre. Éloignez-nous du gouffre. C'est un cri du cœur, de toutes nos âmes de ruraux qui sont en train de mourir en silence sous les yeux indifférents d'un monde urbain qui trouve la campagne si sympa, mais tellement surannée[1].

C'est en ces termes que l'hôtelier français Franck Galand, propriétaire du restaurant *Chés Troés Piots Coechons*, à Woignarue, en Picardie, dénonçait en 2018 une nouvelle législation de Paris lui interdisant d'annoncer son commerce à l'entrée de son village, une communauté de 850 habitants. En effet, une nouvelle règle métropolitaine interdit désormais la publicité touristique sur préenseignes pour les communes de moins de 10 000 habitants, alors que ces petits panneaux d'affichage peuvent susciter jusqu'à 50 % du chiffre d'affaires annuel d'une entreprise en ruralité. Ce sont les militants écologistes qui avaient réclamé l'interdiction de cette « pollution

---

1. Franck Galand, « Un génocide dans nos campagnes. La mort programmée de la ruralité en France », *Tendance Hôtelleries*, 1er février 2018 [en ligne].

visuelle » au nom de la préservation de l'environnement et des paysages, lors du Grenelle de l'environnement de 2010[2].

Cet hôtelier-épicier picard a mis des mots sur une tragédie qui se trame également au Québec, en sourdine, dans des centaines de municipalités. Loin de la ville.

* * *

Cet essai est né d'une grande peur qui a pris racine dans ma jeunesse et qui a germé au fil de mes rendez-vous avec la vie. Cette peur, c'est celle de disparaître. Non pas la disparition du Québec comme société francophone, mais la disparition du mode de vie que représente la ruralité.

Mais qu'est-ce que la ruralité ? me direz-vous. En quoi notre mode de vie diffère-t-il de celui des urbains ? Pour plusieurs, la ruralité se réduit essentiellement à une image de carte postale, avec ses rangs bucoliques délimités par des clôtures de piquets de cèdre et parsemés de troupeaux en pâture. Or, la ruralité n'a pas grand-chose à voir avec cette image romancée. Elle possède plusieurs facettes, mais une constante demeure sur l'ensemble du territoire : la ruralité perd en importance, sur tous les plans. Pour utiliser une analogie tristement contemporaine, la ruralité est cet immense glacier qui recule au fur et à mesure que la ville gagne du terrain.

Cette disparition appréhendée n'a rien de spécifique au Québec ou au Canada. Cet effacement progressif n'est pas la résultante des us et coutumes qui nous sont propres ou d'un quelconque entêtement à refuser la modernité. Le phénomène est mondial, peu importe l'univers culturel ou géographique dans lequel il s'inscrit ; et il demeure largement documenté par les diverses chaires de recherche en aménagement du territoire. Autrement dit, le recul « des campagnes » par rapport à « la ville » est devenu une vérité de La Palice. Le témoignage

---

2. AFP, « Dans les villes de moins de 10 000 habitants, il n'y aura plus de panneaux publicitaires », *Le Monde*, 13 juillet 2015.

de l'hôtelier Franck Galand n'en est qu'une illustration parmi tant d'autres.

De la même façon que la survie de l'être humain sur la planète est mise en péril par les changements climatiques, la ruralité est aujourd'hui menacée dans son essence même. Depuis une cinquantaine d'années, le «gouvernement des villes» a fini par détruire l'organisation minimaliste dont elle s'était dotée au fil du temps. Qu'il soit de gauche ou de droite sur l'échiquier politique, il a adopté l'approche du rouleau compresseur à l'égard de la ruralité. Comme si cette dernière était demeurée prisonnière du syndrome de la colonie-comptoir dont souffrait la Nouvelle-France dans sa relation avec la Métropole, à l'époque. Tôt ou tard, il restera peu de nous...

La première fois que j'ai éprouvé la peur de disparaître, c'était à l'été 1978, lors d'une visite familiale à Cap-Chat Est, chez la sœur de mon père. À 11 ans, je prends conscience de mes origines gaspésiennes. J'entends une langue qui sonne différemment et dont la cadence m'impressionne. C'est lors d'une soirée au salon chez ma tante que je visionne pour la première fois le film du réalisateur Marcel Carrière, *Chez nous, c'est chez nous*[3]. Fasciné par ce grand documentaire d'observation, je regarde défiler sous mes yeux l'histoire d'un drame collectif: la fermeture du village de mon père, Saint-Octave-de-l'Avenir. À ce jeune âge, on ne réalise pas l'intensité de la tragédie, mais je me souviens très clairement avoir demandé à ma tante si la Gaspésie était un pays. Un pays en voie de disparition.

Quelques années plus tard, me voici étudiant en troisième année du secondaire, loin de chez moi. Le professeur de géographie du Québec et du Canada – cours obligatoire de la formation, en 1982 – nous apprend que le Canada est maintenant un pays principalement «urbanisé». C'est à la fois un choc et une révélation. Je me rends compte, statistiques à l'appui, que

---

3. Marcel Carrière, *Chez nous, c'est chez nous*, Office national du film, 1972.

la majorité des habitants de mon pays *vit* en ville. Mais qu'est-ce que «la ville» pour un adolescent de 14 ans de l'est de la Montérégie qui a grandi à cheval entre la ruralité et l'urbanité? C'est à ce moment-là que j'ai vécu pour la première fois de ma jeune existence une anxiété réelle: celle de disparaître.

À l'école, j'étais déjà clairement identifié comme «l'habitant» issu d'une communauté rurale, avec l'ensemble des quolibets qui s'y rattachent. Je n'avais rien à voir avec tous les autres élèves de la Couronne sud de Montréal, englobant les banlieues cossues de Brossard ou de Saint-Lambert, qui fréquentaient la même école que moi. À l'époque, je partageais mon temps entre Saint-Rémi et La Prairie, ce qui impliquait trois heures de transport par jour en autobus scolaire. C'était le prix à payer pour se mêler au monde de l'excroissance urbaine et de sa condescendance assassine. J'étais jeune et sans armure. L'intimidation existait, comme aujourd'hui. Il n'était pas rare de me faire interroger sur l'existence – ou non – de bécosses à l'extérieur de la maison! Dans les années 1980, la ville regardait déjà la ruralité de haut.

Les années ont défilé, et il a bien fallu que jeunesse se passe, sans attache et dans la folie. Puis, les détours de la vie m'ont amené, en 1994, à travailler pour Jean Garon, cet ancien ministre péquiste de l'Agriculture converti à l'époque en critique de l'Opposition officielle en matière de transport à l'Assemblée nationale. C'était la fin du règne de Robert Bourassa et l'arrivée de Daniel Johnson fils. Après la défaite libérale aux élections de 1994, je suis resté aux côtés de Jean Garon au sein du Cabinet de l'éducation, dans le gouvernement de Jacques Parizeau. Je suivais Jean Garon comme un élève suit son maître. Il avait su garder sa sensibilité régionale, même au sein d'un gigantesque ministère comme celui de l'Éducation où nous devions répondre de la gestion de plus de 10 milliards de dollars annuellement. Un des éléments de réflexion du ministre, à l'époque, portait à juste titre sur l'occupation du territoire et ses coûts. Je me souviens notamment de cette discussion animée, au Cabinet, sur un projet d'école élémentaire en plein milieu d'un champ, dans la portion sud de Lanaudière. C'est en passant le long de l'autoroute 640 que le ministre s'était rendu compte que les coûts de l'étalement urbain étaient directement liés à la dévitalisation de l'arrière-pays, plus au nord. Le pouvoir d'attraction de la banlieue avait encore une fois étendu ses tentacules. La preuve était devant nos yeux. À la même époque, Batiscan, un peu plus à l'est, se battait pour garder sa dernière école ouverte. Le choc était foudroyant.

Évidemment, mon passage à la mairie de la Ville de Huntingdon, qui aura duré 10 ans (2003-2013), m'a permis d'apprendre rapidement le « métier ». Mon arrivée comme maire fut un accident de parcours qui a débuté avec l'achat d'un râteau à feuilles chez Rona-Quincaillerie André Laberge, au centre de la ville, au printemps de 2003. C'est le proprié-taire André Laberge qui m'a interpellé pour que je présente ma candidature à la mairie : « La grand-rue est morte. Toi, tu es allé à l'université. Tu es avocat, tu vas pouvoir nous aider. » Ne sachant pas qui était maire de la Ville de Huntingdon, je me suis lancé aveuglément dans la mêlée. Inconnu, mais avec la naïve ambition de changer le monde. Huntingdon ne connaîtrait pas le même sort que le village de mon père ! C'est l'engagement que j'avais pris solennellement auprès de la population une semaine avant le vote, dans une circulaire expédiée à tous. Le destin allait me rattraper rapidement et me mettre à l'épreuve de façon brutale.

À peine une année après mon assermentation comme maire, et quelques mois après la controverse entourant l'adoption d'un règlement de couvre-feu, me voici aux prises avec la fermeture de l'ensemble des six usines de textile des entreprises Cleyn & Tinker et Huntingdon Mills. Le lundi 13 décembre 2004, près de 1 000 pertes d'emplois sont annoncées dans une com-munauté municipale de 2 500 habitants. C'est l'ouragan qui balaie tout sur son passage ! Capitale du Haut-Saint-Laurent, Huntingdon était la ville-centre d'une municipalité régionale de comté (MRC) essentiellement agricole. Nous disposions

d'un territoire d'à peine deux kilomètres carrés. Déjà considérée comme «dévitalisée» en raison de son vieux tissu industriel, Huntingdon se retrouvait soudainement avec un indice
de dévitalisation extrême. Dans les couloirs du ministère des
Affaires municipales, dans le Vieux-Québec, on parlait du
«syndrome de Huntingdon» qui guettait des centaines de
petites villes mono-industrielles en région. Allions-nous disparaître? Pendant 10 ans, nous avons servi de laboratoire, avec
son lot inévitable d'erreurs, d'échecs et de succès magnifiques.

Pourtant, le syndrome de Huntingdon était connu et documenté dans les officines gouvernementales bien avant la consé-
cration de cette expression. Le Canada savait que l'Accord
international sur le textile multifibres venait à échéance le
31 décembre 2004. Le gouvernement fédéral, dirigé à l'époque
par le libéral Paul Martin, avait refusé de se prémunir d'une
clause transitoire de trois ans qui aurait permis aux travailleurs du textile, jetés comme de vulgaires marchandises péri-
mées, de se réorienter professionnellement dans un contexte
moins angoissant[4]. C'est à ce moment-là que Huntingdon s'est
effondrée. Nous le savions: une communauté mono-industrielle de la Montérégie ne faisait pas le poids devant les règles
du commerce international.

Le lendemain de la fermeture annoncée de toutes les usines
de la ville, le ministre du Développement économique et
régional, Michel Audet, mentionnait ce qui suit: «Il y a des
problèmes de fond dont il faut prendre acte. On va travailler
pour trouver des solutions, s'il y en a. Mais, actuellement, il ne
faut pas laisser d'espoir[5].» Tout cela à la veille de Noël! Il ne
fallait surtout pas laisser d'espoir... Le capital humain, qu'on
avait exploité pendant des générations, n'avait plus de valeur

---

4. «Radier le secteur textile du Québec et du Canada», *L'Aut'Journal*,
<https://lautjournal.info/articles-mensuels/240/radier-le-secteur-textile-
du-quebec-et-du-canada>.

5. «Avenir du textile. Débat d'urgence ce soir au Parlement», LCN,
14 décembre 2004, <www.tvanouvelles.ca/2004/12/14/debat-durgence-ce-
soir-au-parlement>.

aux livres comptables. Il valait mieux transférer le travail dans les *sweatshops* de l'Asie. Huntingdon, ville de ruralité, venait d'être rasée par la délocalisation de l'économie.

Or, il me semble que le développement d'une région ou d'un territoire doit passer avant toute chose par le respect de la dignité humaine, une valeur difficilement évaluable en termes de richesse foncière ou comptable. De la réflexion jusqu'à la prise de décision, les autorités responsables ne doivent pas traiter les populations locales comme une simple main-d'œuvre qui travaille et qui paie des taxes. Elles doivent favoriser, par la fiscalité municipale et le financement de l'occupation du territoire, une adhésion sociale basée sur la pérennité du milieu de vie.

Cet essai ne prétend pas offrir des solutions toutes faites. Il n'existe aucune réponse simple à des situations complexes qui impliquent des êtres humains. Il s'agit plutôt de faire naître une conversation entre deux mondes qui se sont oubliés depuis trop longtemps. Les idées exprimées dans cet essai sont le fruit de conversations, de rencontres et d'expériences, mais aussi d'erreurs de jugement, de mauvaises perceptions et d'apprentissages dans l'exercice du pouvoir.

Qu'on le veuille ou non, il existe bel et bien deux territoires qui évoluent en parallèle au Québec : l'un, urbain, qui poursuit sa rapide progression et son étalement, et l'autre, rural, en proie à la désertification sociale et économique. En adoptant le principe de la protection du territoire agricole, en 1977, préalablement à une réflexion plus globale sur l'aménagement du territoire[6], le gouvernement du Québec a sacralisé un droit de véto accordé à l'agriculture et à son industrie. Au nom de la protection d'un territoire qui était réellement menacé par l'étalement urbain, la ruralité s'est fait imposer un modèle de développement économique conçu pour servir les finalités

---

6. L'Assemblée nationale adoptera une première loi-cadre sur l'aménagement et le territoire en 1978, une année après l'adoption de la Loi sur la protection du territoire agricole.

des différents marchés de l'alimentation, au détriment de nos collectivités locales.

Dans un horizon de 20 ans, il n'est pas fou d'envisager que les grands centres urbains deviennent autosuffisants sur plusieurs plans, dont celui de l'alimentation. La technologie existe déjà et elle s'implante un peu partout sur la planète par le biais d'une multitude de *startups*. Nous ne ferons pas exception. Dans un tel contexte, quel sera le sort réservé à nos terres agricoles qui sont déjà consacrées presque entièrement aux grandes cultures et qui servent à nourrir des populations extérieures au territoire québécois? Quelle place donnerons-nous à la paysannerie, qui est la véritable gardienne de notre patrimoine agricole?

Elle n'est peut-être pas si loin, l'époque où nous serons devenus des terrains de jeux pour les urbains en quête de nature et de sensations nouvelles. L'accaparement des terres est un phénomène bien connu et documenté. La disparition de la ferme familiale, le manque de relève, l'épuisement des troupes ainsi que l'intégration des petites et moyennes entreprises agricoles dans des ensembles toujours plus grands font en sorte que le territoire devient peu à peu la propriété d'un nombre toujours plus restreint de joueurs. Bien qu'aboli en 1854, nous assistons à l'émergence d'un nouveau régime seigneurial 2.0, dans lequel le producteur agricole redevient un censitaire qui est seulement autorisé à occuper *la* terre, et non plus *sa* terre. L'agriculteur n'est plus maître chez lui. Nous occupons une terre, accablés par le poids de la dette, des marchés et des normes de toutes sortes. La ruralité a perdu le contrôle sur son territoire et son développement. Mais l'avons-nous seulement déjà eu?

Pendant près de 150 ans, nos politiques publiques de développement régional se sont basées principalement sur les ressources naturelles et l'agriculture. Comme ailleurs dans le monde, le Québec et le Canada ont occupé le territoire en se servant de l'humain comme on utilise une technologie pour exploiter une ressource. Maintenant que la mondialisation a fait son œuvre, une sécheresse en Asie ou une chute du prix du grain à la Bourse de Chicago peuvent avoir un impact direct sur nos communautés rurales. C'est sans compter sur les aléas du climat, qui est devenu imprévisible et violent. Ironie ou simple constatation, il n'est pas rare d'entendre le gouvernement souligner l'importance de la souveraineté alimentaire du Québec. C'est comme si on demandait à des communautés déjà accablées par des indices de sous-développement d'en faire plus avec moins. C'est, au minimum, insultant. Mais c'est politiquement rentable.

* * *

Joseph-Adélard Godbout a été la dernière personne à avoir occupé la fonction de premier ministre du Québec qui pouvait se réclamer directement de la ruralité et de l'agriculture. C'était à l'élection générale de 1939. Le Québec et le Canada entraient en guerre au beau milieu d'efforts gigantesques pour ouvrir de nouveaux territoires à la colonisation.

Depuis, la place de la ruralité dans la société n'a cessé de se transformer, devenant de plus en plus une quantité négligeable – même si, encore aujourd'hui, on n'hésite pas à courtiser son électorat dans le seul but de se maintenir au pouvoir. En vérité, je ne me souviens pas d'un seul moment où la ruralité a fait l'objet d'un débat sérieux et soutenu lors d'une campagne électorale fédérale ou provinciale. Au tournant des années 1980, le Québec moderne s'est convaincu d'avoir donné le pouvoir aux régions. Nos multiples structures de consultation et de représentation devaient nous permettre de «prendre en main notre développement». Pourtant, la désertification des campagnes s'est poursuivie et la ville a continué son avancée. Ce pouvoir aux régions s'est-il retourné contre nous? S'agissait-il d'une illusion?

Notre modèle de développement est allé au bout de sa logique. Il faut repenser la ruralité et l'occupation de notre territoire en cassant le moule. L'agriculture et les ressources naturelles ne peuvent plus être placées au premier rang des facteurs dont il faut tenir compte pour occuper le territoire. Ce sont l'environnement, la mixité sociale, la renaissance de la paysannerie et les nouvelles technologies qui constituent désormais les véritables voies de notre développement présent et futur. Certains diront qu'il s'agit d'une transformation « woke » de la ruralité, qu'il faut résister à ce pacte avec les néoruraux issus des villes ! Mais l'enjeu est-il réellement la ville ou ce nouveau monde qui fait peur à une ruralité bousculée dans son mode de vie ? Peut-on parler d'un éveil qui tarde à venir ?

Ce livre n'a pas l'ambition d'apporter une réflexion complète sur l'occupation du territoire, mais il aborde certains thèmes intimement liés à la ruralité, que ce soient la gouvernance et les politiques publiques, les changements climatiques, le déclin de l'agriculture dite « conventionnelle » et le renouvellement de la population. Toutefois, il en est un qui surpasse tous les autres par son urgence et sa gravité : c'est celui de la fracture sociale qui se creuse de jour en jour et à laquelle nous serons confrontés sous peu, ici, au Québec et au Canada.

Plusieurs raisons peuvent expliquer l'élection de Donald Trump à la présidence des États-Unis, en 2016. Mais l'une d'elles est très certainement la déconnexion qui existe entre le monde urbain libéral et la ruralité ignorée et reléguée à ses terres. Nous assistons aux derniers moments d'un monde établi depuis environ deux siècles ; l'Amérique blanche vit ses derniers soubresauts, c'est la fin d'un *establishment*. Pour plusieurs, il s'agit d'une transformation inévitable et excitante. Pour d'autres, elle provoque la peur de disparaître. C'est sur ce fond à l'odeur nauséabonde que se trame le choc inévitable entre la ville et la campagne. Le triste spectacle qui se déroule sous nos yeux aux États-Unis n'est qu'un prélude à ce que nous vivrons au Québec et au Canada d'ici peu.

Ce phénomène n'est évidemment pas exclusif à notre continent. Le clivage entre la ville et la campagne existe aussi en France et il s'incarne dans la montée extraordinaire des partis politiques d'extrême droite, sous la gouverne de Marine Le Pen et d'Éric Zemmour. Ces deux mouvements rassemblent entre

30 et 40 % de l'électorat français. Là-bas comme ici, la fracture sociale entre les urbains et les ruraux est consacrée et elle constitue un terreau fertile pour l'extrémisme. Il faut visionner l'excellent long métrage du réalisateur Vincent Macaigne, *Pour le réconfort*, où il aborde de front le choc entre la ville et la campagne. Assis dans son véhicule, un homme blanc de la ruralité exprime sa colère et sa détresse à l'égard de l'urbain moderne en des termes foudroyants :

> Je vais t'apprendre un truc. Ta putain de France, ta putain de famille à la con, ta putain d'Europe, elle s'est construite sur des mecs comme moi. Et des mecs comme moi, il y en a plein. Il y en a des milliers. Il y a des rivières de sang de mecs comme moi qui jalonnent toute l'Europe. Quand tu entends un arbre qui tombe, là, c'est pas des branches qui craquent, mais des os... Comme moi. Qui craque. Pour la France entière, on sert d'engrais. À un moment donné, tout cet héritage, il va falloir le payer. Un moment donné, c'est pas possible de passer à la caisse gratuitement. C'est pas possible.
>
> Tu sais ce que c'est le travail ? Parce que la réalité, c'est ça, putain ! C'est pas de la terre, ici. C'est des putains de rivière de sang. C'est du sang de mecs qui [y] ont laissé leur vie[7].

Cette fracture sociale se creuse depuis des décennies, depuis le long déclin de la ruralité qui a été amorcé au siècle dernier au profit des villes. Jusqu'où ira cette déconnexion entre les deux mondes ? Quelles en seront les conséquences sur notre gouvernance, sur notre stabilité politique et sociale, sur nos enfants ? Il est urgent d'y réfléchir.

Il existe bel et bien une montée de l'extrémisme et de l'intolérance dans notre société. Les Maxime Bernier et Éric Duhaime de ce monde ne sont pas des accidents de parcours, mais bien les signes annonciateurs d'un avenir troublant. La ruralité, tout comme l'ensemble de notre société, est à la croisée des chemins. Saurons-nous réinventer notre volonté de vivre ensemble ?

---

7. Vincent Macaigne, *Pour le réconfort*, UFO Distribution, 2017.

1

L'occupation du territoire, du messianisme à la réalité

Le discours populaire peut donner cette étrange impression qu'il existe une «exceptionnalité rurale» qui ferait de nous une société différente de celle du monde urbain. Par exemple, qui n'a pas entendu au moins une fois dans sa vie l'expression voulant que nos ancêtres ont développé la terre «à la sueur de leur front»? Comme si la sueur du colon était différente, voire plus noble que celle des habitants des villes! Pourtant, à la même époque, ceux qui étaient en ville travaillaient souvent dans des usines insalubres et dangereuses, au risque de leur vie.

Au Québec, ce lyrisme de la ruralité s'est érigé en politique de colonisation dès la fin du XIXᵉ siècle, plus particulièrement après l'élection d'un gouvernement libéral national sous la direction d'Honoré Mercier, en 1886. C'est à partir de ce moment-là que la société québécoise tout entière a épousé la cause de la colonisation avec une ferveur messianique. D'ailleurs, en 1887, l'agriculture et la colonisation ont été réunies pour la première fois au sein d'un même ministère[1]. Cet élan romantique a connu son apogée dans l'imagerie populaire avec le curé Antoine Labelle, nommé assistant-commissaire[2]

---

1. Statuts de la Province de Québec, c. 7, «Acte pour amender les lois concernant le conseil exécutif et les départements publics de la province, ainsi que la loi relative au service civil», 18 mai 1887.
2. La loi de 1887 utilise cette expression pour désigner l'équivalent contemporain de la fonction administrative de sous-ministre.

de l'Agriculture et de la Colonisation et adjoint du premier ministre Mercier. Perçu comme un véritable leader populiste de son temps, le curé Labelle considérait le développement des Laurentides, région située au nord de Montréal, comme une occasion de reconquérir le pays aux mains des anglo-protestants. L'établissement de nouvelles paroisses permettait aux autorités de faire de l'agriculture le prétexte idéal pour défendre la cause de la reconquête canadienne-française[3].

Au-delà de la pensée du curé Labelle, la réalité sur le terrain était pourtant tout autre. La société canadienne-française de l'époque assistait à l'exode massif de son capital humain vers les usines de textile de la Nouvelle-Angleterre. Attirées par les besoins en main-d'œuvre industrielle des grands centres urbains américains, comme Lowell, Manchester ou Lewiston, les familles rurales du Québec avaient déjà commencé leur migration au sud de la frontière dans les années suivant la guerre civile américaine (1861-1865). Au Québec, la terre ne suffisait plus à assurer le minimum vital. Il fallait quitter le pays. On estime à plus de 900 000 le nombre de Canadiens français qui ont quitté la province entre 1840 et 1929[4].

C'est dans ce contexte de pauvreté et de dévitalisation que le développement du territoire québécois a officiellement fait son entrée au Conseil des ministres, sous la tutelle de l'agriculture – un mariage administratif qui se terminera tardivement, en 1973, sous l'égide du dernier ministre de l'Agriculture et de la Colonisation, le libéral Normand Toupin. L'agriculture devenait ainsi l'antidote à l'exode massif du ter-ritoire, administré à coups de goupillon et de fonds publics.

---

3. Jean Séguy et Gabriel Dussault, « Le curé Labelle. Messianisme, utopie et colonisation au Québec (1850-1900) », *Archives de sciences sociales des religions*, n°56/2, 1983, p. 249-250.

4. Jean Lamarre, du Collège militaire royal de Kingston, « L'exode des Canadiens français aux États-Unis, 1840-1930 », Radio-Canada, 16 octobre 2018. G. Paquet et W.R. Smith, « L'émigration des Canadiens français vers les États-Unis, 1790-1940 : problématique et coups de sonde », *L'Actualité économique*, vol. 59, n° 3, septembre 1983, p. 423-453, <https://doi.org/10.7202/601059ar>.

La «terre promise» était le nouveau slogan d'une politique devant apporter rapidement une solution permanente à la pauvreté, au manque de travail ou à l'absence de terres disponibles dans le sud du Québec.

Au fil du temps, la politique de colonisation a permis une occupation du territoire dans plusieurs régions, comme l'Abitibi, le Témiscamingue, le Saguenay et le Lac-Saint-Jean, la Gaspésie et le Bas-Saint-Laurent. Elle a concrétisé par le fait même l'accaparement progressif et quasi définitif des terres des Premières Nations. Le développement territorial du Québec s'est déroulé dans l'anarchie juridique, sans planification réelle et ordonnée. Il faudra attendre 1979 avant de voir naître une première Loi sur l'aménagement et l'urbanisme.

La colonisation de la Gaspésie

Cette ambiance de misère sociale et de religiosité a sans doute incité mon grand-père paternel, Romuald Gendron, à répondre favorablement à l'appel du gouvernement de Maurice Duplessis, en 1937. Pour bénéficier d'une subvention de 50 $ demandée en son nom par le curé Louis-Octave Caron au ministre Jos D. Bégin, il devait prendre pour épouse ma grand-mère, Blanche-Yvonne Michaud, et aller défricher la terre dans la colonie de Saint-Octave-de-l'Avenir, au beau milieu des monts Chic-Chocs, dans la péninsule gaspésienne. C'est ce qu'il a fait.

Au-delà de l'anecdote familiale, il faut se replacer dans le contexte de l'époque où la Gaspésie, comme bien d'autres régions, devait son existence à l'exploitation des ressources naturelles. Le Bas-Saint-Laurent et la Gaspésie se vidaient, comme le reste du territoire québécois. On s'interrogeait sur le minimum des conditions à assurer au colon pour qu'il s'établisse convenablement dans une colonie, et ce, dans l'objectif de maintenir une population sur place de façon permanente:

> Pour que les ressources fassent vivre les familles, il faut qu'elles leur assurent un revenu net plus élevé. Les problèmes à résoudre sont dans ce cas d'ordre familial. Chaque famille doit disposer

d'une ressource fondamentale et d'une ou plusieurs ressources complémentaires. L'ensemble de ces ressources doit lui assurer un revenu suffisant et offrir des possibilités d'amélioration pour l'établissement sur place des enfants. Si, par exemple, le domaine agricole ne peut plus s'étendre en superficie ou si la production ne peut pas devenir plus intensive, les fils de cultivateurs émigreront nécessairement[5].

C'est ainsi que ma famille paternelle a vu le jour, partageant son temps entre la terre, insuffisante à nourrir huit enfants, et le travail forestier, devenu nécessaire à la survie. Le mode de développement «agro-forestier» était officialisé, le mariage était consommé.

Dans son plaidoyer pour le développement de l'agriculture en Abitibi, l'activiste rural Hauris Lalancette nous raconte comment il a développé la ferme familiale à Rochebaucourt. Son récit résume en tous points l'expérience colonisatrice du XXᵉ siècle québécois:

> Ça – vous voyez, ma ferme. Quand je me suis bâti, moi, j'étais garçon. J'avais un camp en bois rond. Après une dizaine d'années, j'ai demandé mon octroi au gouvernement, pis là, j'me suis bâti ma grand'maison. J'pensais d'avoir une grosse famille, j'ai bâti une maison à onze appartements, j'ai pas été chanceux, j'ai eu rien que deux enfants. Mes treize premières années que je me suis marié, moi, ma femme est restée toute seule, les chemins étaient pas ouverts, y avait pas d'électricité, on avait pas de malle rurale. On travaillait dans le bois. Je faisais du camionnage. Je venais voir ma femme le samedi soir, pis j'partais le dimanche soir pour aller travailler. [...] En gros, l'agriculture, ici, pour y vivre, là, puis pour réussir, il a fallu gagner beaucoup d'argent en dehors[6].

La politique de colonisation, qui devait initialement stopper l'exode vers les États-Unis, s'est transformée graduellement au

---

5. Ministère des Affaires municipales, *Inventaires des ressources naturelles et industrielles du Comté municipal de Gaspé-Ouest – 1937*, Bibliothèque et Archives nationales du Québec.

6. Bernard Gosselin et Pierre Perrault, *Un royaume vous attend*, Office national du film, 1975.

Mes grands-parents à Saint-Octave-de-l'Avenir, en Gaspésie, dans les années 1950. *Source*: Collection personnelle de Stéphane Gendron.

cours du siècle suivant en un régime d'occupation du territoire au service des industries locales et des grands centres urbains. En l'espace d'une génération, le colon qui avait répondu à l'appel messianique de la terre ne s'y retrouvait plus. La terre promise était devenue une terre de désolation et de pauvreté.

Cette politique de colonisation basée sur les ressources naturelles et l'agriculture a-t-elle provoqué l'asservissement de nos régions? Le 14 décembre 1964, près de 80 ans après l'adoption de la toute première politique de colonisation, Georges-Henri Dubé, alors président du Bureau de l'aménagement de l'Est du Québec (BAEQ) – un organisme à but non lucratif chargé, à l'époque, d'atténuer les inégalités sociales sur le territoire du Bas-Saint-Laurent, de la Gaspésie et des Îles-de-la-Madeleine – rédige une lettre au président du Comité des aménagements des ressources du ministère de l'Agriculture et de la Colonisation:

Il s'agit du sort réservé à quelques villages très marginaux qui, désertés par une population qui ne peut vivre que difficilement de ressources absentes ou disparues, représentent un très grand problème d'aménagement.

Quelques-uns de ces villages, représentés par un comité local dynamique, ont depuis plusieurs mois envisagé rationnellement leur situation. Pas un de ces comités n'a encore suggéré de fermer complètement ces villages, mais, dans un cas en particulier, on a posé très lucidement la nécessité d'étudier le problème en collaboration avec le BAEQ.

Vous n'êtes pas sans ignorer les graves problèmes posés par la fermeture de certaines colonies : alors, même si aucun comité local et encore moins le Bureau d'aménagement n'a encore suggéré de fermer certaines colonies, il n'en faut pas moins, à l'instar de ce comité dynamique que nous vous signalons, étudier ce problème.

Les difficultés de tout ordre, économique, éducationnel, etc., posées par l'éventualité de fermer certaines colonies (si jamais l'étude aboutissait à cette conclusion) sont tellement grandes qu'il n'est pas trop tôt pour y penser, et sérieusement[7].

La lettre du 14 décembre 1964 signale que le scénario de « fermeture des colonies » est un projet lourd de conséquences sur le plan humain. On sent bien l'hésitation du président du BAEQ lorsqu'il évoque cette possibilité.

Afin de donner suite aux réflexions du BAEQ, le gouvernement du premier ministre Jean-Jacques Bertrand crée en 1969 l'Office de développement de l'Est du Québec (ODEQ). Pour les planificateurs du territoire, la situation représente un « très grand problème d'aménagement ». Dès janvier 1965, une note interne du gouvernement propose un échéancier de fermeture à moyen terme (de six à huit ans) pour un certain nombre de municipalités du Bas-Saint-Laurent et de la Gaspésie. On y prône l'approche du « recyclage humain », lorsque c'est possible :

---

7. Georges-Henri Dubé, *Lettre du 14 décembre 1964*, Comité interministériel pour l'étude du problème des paroisses marginales, 1965, Bibliothèque et Archives nationales du Québec, 1965.

Il y aurait lieu de prévoir les étapes à suivre, étapes qui pourraient être :
1) inciter les éléments dynamiques à se réhabiliter eux-mêmes ;
2) avoir un programme de réhabilitation des éléments récupérables ;
3) vider le reste[8].

Vider le reste... Des restes humains qu'on pourra parquer quelque part à Cap-Chat ou à Sainte-Anne-des-Monts, en attendant qu'ils crèvent. On parlait ici de mes grands-parents et de combien d'autres personnes, déjà ? De tous ceux et celles qui avaient répondu à l'appel messianique de la terre promise et qui se trouvaient maintenant bernés par le gouvernement et l'Église – ceux-là mêmes qui leur avaient promis un Royaume ! Maintenant que le territoire était développé, les arbres coupés et les champs en jachère, il fallait « vider le reste ». Pour y parvenir, des technocrates mentionnent la possibilité d'une « agglomération de vieux », dans un endroit « tranquille », pour les 70 ans et plus :

> Il semble que plusieurs seraient intéressés à se grouper dans une agglomération de personnes âgées, où chacun aurait sa petite maison, pouvant cultiver son jardin et diverses plantes. J'entrevois un centre récréatif dont les éléments sont encore obscurs[9].

Pour les gestionnaires publics, les colons sont considérés uniquement sous l'angle de leur potentiel de récupération. Leurs années consacrées à la vie sur le territoire gaspésien n'ont plus aucune valeur dans la colonne comptable des actifs. Les colons ne rapportent plus au fonds consolidé de la province. Ceux des paroisses dites marginales sont devenus une hypothèque que l'on traîne comme un boulet, comme une cote de crédit gênante.

---

8. Roger Saint-Louis, *Mémo – Rencontre avec le comité interministériel sur le problème des paroisses marginales*, Conseil du plan, 29 janvier 1965.
9. Pierre Sarault, *Étude du coût d'entretien de trois localités-types*, Bibliothèque et Archives nationales du Québec, juillet 1964, p. 6.

Déjà, en 1965, les travaux préliminaires du BAEQ jetaient les bases de l'argumentaire en faveur de la fermeture des colonies:

> Nul ne songerait à nier l'existence au Québec de certaines régions dont la participation au développement économique général est plutôt minime, sinon nulle. La création d'un organisme comme le BAEQ souligne l'existence de ces régions et confirme la nécessité d'actions spéciales destinées à synchroniser le rythme de croissance de ces régions marginales à celui de l'ensemble du Québec, voire du Canada[10].

Le BAEQ estime qu'il est temps de passer à une autre forme d'occupation du territoire. Le modèle de la colonisation promu dans les années 1930 est arrivé au bout de sa logique. Le Québec des années 1960 est en pleine effervescence et il s'urbanise:

> Mais depuis 30 ans, les conditions matérielles à la base des mouvements de la colonisation ont changé; l'idéologie qui les avait rendues acceptables et acceptées a éclaté sous la poussée de l'industrialisation et de l'urbanisation du Québec. Aujourd'hui, il n'y a presque plus de différence entre les besoins et les aspirations de la population des zones marginales et sous-marginales et celles des centres régionaux. [Dans ces zones] la croissance économique est tout à fait artificielle. Cette croissance du niveau de vie a été rendue possible non pas par l'augmentation de la production et de la productivité, mais par l'augmentation des paiements de transferts gouvernementaux[11].

Pour le BAEQ, la population rurale avait nécessairement les mêmes aspirations que les urbains des centres régionaux. Le Québec entrait dans la modernité, alors que sa ruralité implosait. Nous étions devenus en quelque sorte un empêchement au progrès économique. Un embarras qu'il fallait faire disparaître. Soudainement, on nous regardait comme un «peuple d'assistés sociaux».

---

10. Guy Pelletier, *Rapport préliminaire sur un projet de fermeture de colonies*, Bureau de l'aménagement de l'Est du Québec, Bibliothèque et Archives nationales du Québec, 7 mai 1965, p. 1.

11. *Ibid.*, p. 3.

La suite de l'histoire est connue. Plusieurs documentaires réalisés dans les années 1970 ont fait état de la brutalité de la politique du gouvernement québécois en matière d'occupation du territoire. On pense particulièrement au film *Chez nous, c'est chez nous*, dans lequel on assiste à la tenue d'un référendum où 90 % des habitants de Saint-Octave-de-l'Avenir choisissent finalement la mort de leur colonie. En 1970, un an après ce référendum, le couperet tombait sur le village développé par la famille de mon père : un décret d'abolition – composé d'un seul numéro, froid – mettait fin à l'occupation de ce territoire. Deux chiffres à retenir dans ce dossier : 1621-1970.

Pendant ce temps, au royaume de l'Abitibi

Cette réflexion technocratique ancrée dans la Révolution tranquille ne s'est pas limitée à la péninsule gaspésienne. À l'ouest, dans le royaume de l'Abitibi, un processus similaire a eu lieu. Un an après la fermeture par décret de Saint-Octave-de-l'Avenir, le ministre de l'Agriculture et de la Colonisation, Normand Toupin, mandate la firme d'agronomes Côté, Duvieusart et Associés, de Québec, pour produire un rapport sur l'aménagement agricole du nord-ouest québécois[12]. Le rapport, soumis au ministre le 31 janvier 1974, sème l'inquiétude dans la région. Y aura-t-il des fermetures de municipalités comme en Gaspésie ?

Le rapport prévoit l'établissement de trois zones agricoles autour des communautés urbaines d'Amos, de La Sarre et de Ville-Marie. Au-delà de ces trois zones, il suggère d'établir huit autres zones marginalisées où l'agriculture finirait par disparaître. On n'avait qu'un seul objectif : rentabiliser les activités agricoles et consolider les fermes.

---

12. Côté, Duvieusart et Associés, *Aménagement agricole du Nord-Ouest québécois. Tome 1 (Lettre de mandat)*, Bibliothèque et Archives nationales du Québec, 31 janvier 1974.

On ne doit pas pratiquer la politique de l'autruche. Si ce fut une erreur d'ouvrir certains territoires à l'agriculture, il serait pire encore de l'encourager plus longtemps en favorisant une médiocre survie d'exploitations dispersées ou isolées. On ne peut envisager d'abandonner les hommes qui s'y trouvent, mais on doit leur offrir autant de planches de salut que l'arsenal des mesures politiques et administratives le permet. Peut-être faudra-t-il innover en ce domaine, inventer des formules nouvelles, mais sans perdre de vue qu'il ne s'agit plus d'intervenir en faveur de l'agriculture[13].

Comme le souligne si bien Hauris Lalancette dans le cycle abitibien du réalisateur Pierre Perrault[14], le Québec a laissé tomber définitivement ses colons agriculteurs.

Quand je vois mon père, qui a fait des sacrifices énormes. Il a ouvert un pays avec huit enfants, pas de mère. Puis il est mort dans l'extrême pauvreté. Pour les efforts d'homme qu'il a donnés, le système n'a pas voulu que quelqu'un fasse quelque chose de bien et soit récompensé. Le système n'a pas voulu.

C'est dans cette atmosphère explosive que la résistance est organisée, comme le rapporte la journaliste Michèle Favreau, de passage en juin 1974 dans la communauté de Mont-Brun (devenue aujourd'hui un quartier de Rouyn-Noranda). Cette municipalité faisait face à la fermeture de son école primaire :

Si le mouvement de protestations de fermeture des écoles à Mont-Brun et à Destor, en Abitibi, a pris tant d'ampleur au cours des derniers mois, c'est que les paroisses appréhendent un sort semblable à celui des paroisses de la Gaspésie, mortes de mort violente par décision administrative[15].

Occupation citoyenne de l'école durant 28 jours, blocus des autobus et manifestations : la bataille de Mont-Brun s'est

---

13. *Ibid.*, p. XIII.

14. Le cycle abitibien de Pierre Perrault est composé des quatre films documentaires suivants : *Un royaume vous attend*, *Le retour à la terre*, *C'était un Québécois en Bretagne, Madame !* et *Gens d'Abitibi*.

15. Michèle Favreau, « À Mont-Brun, la peur a disparu », *La Presse*, 22 juin 1974.

transformée rapidement en un vaste mouvement de solidarité sous l'œil attentif de l'ensemble de la province. En peu de temps, la décision administrative du ministère de l'Éducation avait rassemblé Camil Samson et René Lévesque autour d'une même cause : le maintien des écoles de villages. Devant la pression devenue insoutenable, la direction régionale du ministère accepta de dégager des fonds supplémentaires pour garantir les opérations des écoles de Mont-Brun et de Destor[16].

Les années 1970 mettent ainsi fin à un siècle de planification et d'occupation du territoire. Les politiques mises de l'avant n'ont pas donné les résultats escomptés. Elles auront toutefois permis de juguler le flot migratoire vers les États-Unis, tout en consolidant une certaine idéologie messianique ancrée dans l'insécurité des francophones du Québec. Les décennies qui suivront verront naître un concept aux antipodes des politiques jusqu'alors préconisées par le gouvernement central : le pouvoir aux régions. Mais ce nouveau discours des urbains va faire basculer le monde rural dans une dévitalisation et un dépeuplement encore plus grands.

Ce qu'il reste de la colonisation

Fait étonnant, au tournant du XXe siècle, le budget de l'Agriculture et de la Colonisation représentait 4 % des dépenses totales annuelles du Québec. Aujourd'hui, la part du budget consacré à l'agriculture n'est que de 1 %, tandis que ce qu'il restait des politiques de la colonisation s'est évanoui dans les limbes d'un «ministère des Régions», entité administrative disparate et en constante mutation. Les régions sont en effet plus souvent rattachées au ministère des Affaires municipales et elles sont malheureusement instrumentalisées selon l'humeur politique du moment. Parfois, elles sont carrément en ballotage, comme en 2021! La ministre déléguée au Développement économique

---

16. «L'année où les citoyens de Mont-Brun ont inspiré tout le Québec», *Radio-Canada.ca*, 18 juin 2018.

régional s'étant fait montrer la porte du Conseil des ministres, les régions ont échoué sur les rivages du ministère de l'Économie et de l'Innovation[17]. Plus souvent qu'autrement, les régions sont intégrées à des ministères jugés plus importants. Pour le gouvernement caquiste actuel, l'occupation du territoire et son développement semblent passer essentiellement par le volet économique. L'humain occupe une place marginale dans l'occupation du territoire. Hors des jobs, point de salut.

---

17. La ministre déléguée au Développement économique régional était Marie-Ève Proulx (du 18 octobre 2018 au 5 mai 2021). Voir Marco Bélair-Cirino, « L'élue caquiste Marie-Ève Proulx démissionne », *Le Devoir*, 5 mai 2021.

2

La gouvernance territoriale

Dans le discours, la gouvernance des régions ne cesse de faire l'objet de discussions, de promesses et d'engagements multiples. Les termes ont pris les allures d'une novlangue bureaucratique qui utilise toujours les mêmes mots-clés: « pouvoir aux régions », « décisions locales », « concertation des forces vives du milieu » et « coconstruction », sans oublier les fameux « plans de développement » et les divers « schémas » qui font le bonheur des consultants rompus au langage administratif. Je blague à peine. Nous vivons à l'heure de la consultation, des chantiers, des tables de concertation et de pilotage, de l'industrie de la représentation, des collèges électoraux et de la planification stratégique. Nous sommes en constante réflexion sur l'avenir, alors que les ressources manquent au présent. Que peut-on faire pour redresser la situation ?

Cette nouvelle zizanie bureaucratique ne cesse d'enfler depuis les années 1980, époque de la mise en place des municipalités régionales de comté (MRC). De nos jours, des centaines d'entités municipales pataugent dans un environnement périlleux qui ne tient plus la route, car elles doivent sans cesse s'adapter à de nouvelles normes en matière sanitaire, sociale, juridique, scientifique, environnementale, de construction, de sécurité publique et j'en passe ! Certes, cet alourdissement de la gestion municipale est justifié par de nouvelles valeurs sociales et l'avancement des connaissances. Mais, en plus du minimum requis en termes de ressources humaines, matérielles et financières, l'administration d'une municipalité nécessite désormais des compétences améliorées et pointues.

Dans un premier temps, il faut revoir le mode de financement de nos collectivités municipales qui, outre certains paiements de transferts, est principalement basé sur l'impôt foncier (la taxe municipale). Ce système a pour effet d'institutionnaliser la pauvreté dans nos régions, car la richesse foncière imposable des immeubles taxables y est généralement moins élevée que dans les grands centres urbains. Ainsi, les communautés riches deviennent encore plus riches et les communautés pauvres, encore plus pauvres et dévitalisées. C'est un cercle vicieux qui dure depuis trop longtemps. Au cours des 25 dernières années, les municipalités ont déployé de vastes opérations marketing afin d'attirer citoyens et industries. Elles sont devenues de véritables machines à collecter des revenus fiscaux. Or, cette façon de faire ne fonctionne plus. Il est primordial que les municipalités puissent se financer sans devoir entrer en concurrence les unes avec les autres.

En plus des effets pervers résultant de son mode de financement, la ruralité a vu son territoire se transformer au gré de la croissance importante de la richesse foncière liée à l'étalement urbain des grands centres comme Montréal et Québec. Ainsi, on a vu naître une ruralité de proximité gentrifiée, aux côtés d'une seconde ruralité, éloignée et encore plus pauvre. Le financement municipal doit s'affranchir de la taxe foncière basée sur l'évaluation du marché. On doit concevoir un mode de financement alternatif dans lequel le gouvernement du Québec serait partie prenante. L'Institut de recherche et d'informations socioéconomiques (IRIS) a publié en 2021 une étude portant sur les différents modèles de fiscalité municipale[1]. Aucun n'est parfait, mais il existe d'autres façons de financer les municipalités qui diminuent les inégalités

---

1. Eve-Lyne Couturier et Nicolas Viens, *Fiscalité municipale: une réforme nécessaire pour une transition juste*, Institut de recherche et d'informations socioéconomiques, 2 juin 2021.

systémiques actuelles. L'impôt sur le revenu, assorti d'une redistribution de la richesse collective déterminée par le gouvernement central, est l'une de ces pistes qui permettraient d'assurer la pérennité des régions.

Dans un second temps, pourquoi ne pas remettre à l'ordre du jour politique la question du nombre trop élevé de municipalités locales? Plusieurs d'entre elles ne comptent que quelques centaines d'habitants. Or, l'identité collective d'un canton de 300 habitants ou d'un hameau de 1 000 personnes ne peut plus reposer sur la seule existence d'un conseil municipal. Dans un tel contexte, le concept de l'autonomie municipale relève de l'absurde. Les microentités municipales n'ont pas les moyens de financer des infrastructures adéquates et de se doter d'une fonction publique compétente – il existe une pénurie criante de ressources humaines en région. Regrouper des élus au sein d'un même conseil municipal ne constitue pas un aveu de défaite; cela ne revient pas à signer un acte de disparition. Il s'agit plutôt de donner un second souffle aux régions touchées par la dévitalisation de leur territoire.

À chaque consultation portant sur des projets de fusions municipales, les mêmes arguments négatifs sont mis de l'avant par leurs opposants: perte d'identité, perte du gouvernement de proximité et hausse des taxes à court terme. L'argument de la baisse des services ne semble pas convaincre les populations concernées de la nécessité de fusionner certaines entités municipales. Pourtant, un fait demeure: les salles d'assemblée des conseils municipaux en ruralité sont souvent vides, le taux de participation aux élections demeure relativement faible et les candidats à la mairie ne se bousculent pas au portillon. Ainsi, en 2017, pour l'ensemble du Québec, seulement 561 postes de maire et 2 909 postes de conseiller ont fait l'objet d'une élection, sur une possibilité de près de 8 000 postes au total. Cette année-là, 217 conseils municipaux ont été élus par acclamation[2]. Lors

---

2. Données tirées du ministère des Affaires municipales et du Directeur général des élections.

du scrutin de 2021, le nombre d'élus sans opposition s'est élevé à 4 355, tandis que seulement 2 478 postes étaient soumis au vote[3]. Depuis une vingtaine d'années, le taux de participation aux élections municipales demeure famélique, à environ 44 %[4].

Pourquoi perpétuer un tel régime, digne du siècle dernier ? Le sacro-saint principe de la démocratie de proximité ne serait-il qu'illusion ?

Tentatives de mariages

Dans notre régime constitutionnel, la municipalité relève de la juridiction provinciale. Entre 1980 et 2003, le gouvernement du Québec a fait quelques tentatives de regroupements municipaux, mais le caractère coercitif de ces fusions avait alors été vivement dénoncé comme une attaque frontale contre la démocratie locale. Pour s'en convaincre, il suffit de se replonger dans le débat intense qui a eu lieu sur la fusion forcée de la ville de Baie-Comeau et de la municipalité de Hauterive, sur la Côte-Nord, lors de l'adoption du projet de loi 37, le 23 juin 1982[5]. Malgré les menaces et la violence de l'opposition qui avaient mis les forces de l'ordre de ces deux villes aux aguets, le ministre des Affaires municipales de l'époque, Lucien Lessard, en avait eu assez et avait imposé la fusion :

> Le gouvernement du Québec a démontré son intention de régler un problème qui dure depuis vingt ans et qui a créé de multiples conflits entre les citoyens de Hauterive et les citoyens de Baie-Comeau, conflits qui ont malheureusement nui au développement économique de ces deux villes et particulièrement

---

3. « Nombre de postes, de personnes candidates, de personnes élues sans opposition, de postes vacants et de postes en scrutin selon le type de poste », *Données relatives à l'élection générale municipale 2021*, ministère des Affaires municipales et de l'Habitation du Québec.

4. Données tirées du ministère des Affaires municipales et du Directeur général des élections.

5. Le projet de loi, qui était intitulé « Loi regroupant les villes de Baie-Comeau et de Hauterive », ne comportait que 11 articles lors de son adoption finale.

au développement régional. La fusion de ces deux villes a fait l'objet de nombreuses études qui en arrivent unanimement à recommander que le projet de loi numéro 37 soit adopté[6].

Le monument funéraire érigé devant la mairie de Baie-Comeau – où sont enterrés, dans un cercueil, les documents relatifs à la fusion forcée des deux communautés – fait foi de manière éloquente de l'importance qu'a eu cet événement dans la communauté locale[7]. On peut y lire : « Ici gît la démocratie, morte le 23 juin 1982, assassinée par le gouvernement du Parti québécois. L'Histoire les jugera. »

Moins de 20 ans après la fusion de Baie-Comeau et de Hauterive, le gouvernement du Québec revient à la charge en remettant le dossier des fusions à l'agenda politique. En 1999, des consultations populaires sont organisées dans certaines municipalités de régions, afin de sonder l'humeur de la population sur ce projet. Dès l'an 2000, le gouvernement adopte une série de lois pour forcer la fusion de certaines entités municipales. On se souviendra de la création, en 2001, de cinq mégavilles, soit celles de Montréal, de Québec, de Trois-Rivières, de Gatineau et de Sherbrooke.

Quelques mois auparavant, le gouvernement avait imposé par décret le regroupement des municipalités de la paroisse de Saint-Jovite, de la ville de Saint-Jovite, de Mont-Tremblant et de Lac-Tremblant-Nord en une seule entité municipale[8]. Cette fusion avait été décrétée malgré le résultat défavorable d'un référendum tenu à Saint-Jovite et à Lac-Tremblant-Nord. Bien qu'ils aient porté leur cause devant les tribunaux, les opposants à la fusion n'ont pu mettre un frein à l'adoption de la loi et du décret créant la nouvelle entité municipale. Ce n'est qu'à la suite de l'élection d'un gouvernement libéral, en 2003,

---

6. *Journal des débats*, Commission permanente des affaires municipales, Assemblée nationale du Québec, 16 juin 1982.

7. Marlène Joseph-Blais, « Que reste-t-il de la fusion de Baie-Comeau 35 ans après ? », *Radio-Canada.ca*, 15 décembre 2017.

8. « Décret 1294-200 », *Gazette officielle du Québec*, 8 novembre 2000.

que les citoyens de Lac-Tremblant-Nord ont pu retrouver leur municipalité... qui comptait à l'époque 24 habitants sur un territoire de 27 kilomètres carrés. Lors des travaux de reconstitution de la municipalité, en 2005, le mandataire Michel Hamelin note les observations suivantes dans son rapport au ministre des Affaires municipales:

> Lors du regroupement en décembre 2000, la municipalité de Lac-Tremblant-Nord comptait seulement une employée, soit une secrétaire-trésorière à temps partiel, et cette dernière n'a pas été intégrée à la Ville de Mont-Tremblant. Il ressort des discussions avec les autorités de la Ville de Mont-Tremblant qu'aucun surplus de personnel n'est provoqué par la reconstitution de la municipalité de Lac-Tremblant-Nord. Avant le regroupement, la fonction d'inspecteur en bâtiment était assurée dans le cadre d'une entente de service.
>
> Compte tenu de la très petite taille de la municipalité de Lac-Tremblant-Nord, je recommande l'engagement d'un.e secrétaire-trésorier.ère à temps partiel, soit deux jours/semaine, et ce, à compter du 1er septembre 2005. En ce qui concerne l'inspecteur en bâtiment, je recommande la signature d'une entente de service de même nature que celle existant avant le regroupement[9].

Selon le Décret de population, la municipalité de Lac-Tremblant-Nord compte aujourd'hui 52 habitants[10]. Une micromunicipalité riche de ses vacanciers non résidents et où 13 % des citoyens siègent au conseil municipal. Certains voudront y voir un exemple concret de *grassroots democracy*[11]. Mais, à mon avis, il s'agit plutôt d'un mirage. En juin 2021, le conseil municipal de Lac-Tremblant-Nord a même poussé plus loin la logique séparatiste en votant à l'unanimité pour le

---

9. Michel Hamelin, *Reconstitution de la municipalité de Lac-Tremblant Nord. Rapport final au ministre*, Bibliothèque et Archives nationales du Québec, 12 juillet 2005.

10. « Décret 1516-2021 », *Gazette officielle du Québec*, p. 7700.

11. Traduction libre: « démocratie de proximité ».

déménagement de sa mairie sur le territoire de... la ville voisine de Mont-Tremblant[12]! C'est à n'y rien comprendre.

Quand une municipalité ne sert qu'à engranger des taxes foncières, à déneiger les routes et à ramasser les matières résiduelles, je crois qu'elle a perdu sa raison d'exister. Le leadership municipal des élus ne devrait pas se réduire à des tâches purement ménagères ou administratives. Sinon, il perd de sa valeur et devient totalement insipide. Un simple examen des procès-verbaux de petites municipalités nous démontre clairement l'aspect assez puéril de certaines résolutions. Par exemple, on perd beaucoup de précieux temps à autoriser l'achat d'une tondeuse à gazon ou à s'interroger sur l'emplacement des bacs à fleurs au printemps.

Aujourd'hui, le rôle d'une municipalité ne se limite plus à dispenser des services de base. Étant devenue le plus grand organisme communautaire de sa collectivité, elle devrait consacrer davantage de temps à la réflexion de son propre développement social. Mais dans quelle mesure une entité municipale peut-elle prétendre au développement de sa communauté? À partir de quelle masse critique de population ou de budget? Quels sont les éléments de base nécessaires au fonctionnement d'une entité municipale autonome?

Chaque année, le ministère des Affaires municipales alloue une somme d'environ 60 millions de dollars aux municipalités qui ne peuvent boucler leur budget sans étouffer leurs citoyens sur le plan fiscal: c'est le programme de péréquation municipale. En 2021, les sommes versées aux quelque 355 municipalités les plus pauvres du Québec totalisaient 67 millions de dollars. Plusieurs de ces entités municipales ont moins de 2 000 habitants[13]. On estime à près de 800 000 le nombre de personnes vivant sous un régime de péréquation municipale

---

12. Résolution 2021-06-84: « Signature d'un bail pour le nouveau local du bureau municipal ». La mairie est dorénavant située au 2044, chemin du Village, dans la municipalité voisine de Mont-Tremblant.

13. Donnée tirée d'une demande d'accès à l'information auprès du ministère des Affaires municipales et de l'Habitation.

au Québec. Ce nombre correspond de très près à la population vivant dans un des nombreux déserts sociaux du Québec[14].

Lorsque l'on qualifie une communauté de « désert social », il faut se référer aux indices de vitalité économique des municipalités, mesurés annuellement par l'Institut de la statistique du Québec. Voici le portrait qu'en dresse l'Institut dans son édition 2021 :

> Les localités qui se classent dans le dernier quintile de l'indice sont généralement éloignées des régions métropolitaines ou des agglomérations de recensement, sont de petite taille et se caractérisent par une population relativement âgée.
>
> Elles connaissent un déclin démographique important et affichent un revenu médian des particuliers ainsi qu'un taux de travailleurs largement plus faibles que les autres localités.
>
> Sur le plan financier, ces localités comptent sur une richesse foncière uniformisée plus faible qu'ailleurs et dépendent davantage des transferts de fonctionnement du gouvernement du Québec comme sources de revenus que les autres localités québécoises[15].

Un examen des indices de vitalisation économique des municipalités pour 2021 nous indique que 693 000 personnes vivent au sein de municipalités pauvres ou très pauvres, dont la densité de population est d'un peu moins de 2 habitants par kilomètre carré. L'âge moyen y est de 48 ans, soit presque 6 années de plus que la moyenne québécoise. Ces mêmes communautés ont connu une baisse de population annuelle de l'ordre de près de 10 pour 1 000 au cours des dernières années[16]. À court terme, une population vieillissante avec des revenus limités ne peut pas faire face, seule dans son coin, à

---

14. Cette donnée est établie à partir des statistiques de péréquation municipale pour l'année 2021.

15. *Ibid.*

16. *Bulletin d'analyse 202 – Indice de vitalité économique des territoires*, Institut de la statistique du Québec, <https://statistique.quebec. ca/en/fichier/bulletin-analyse-indice-vitalite-economique-territoires-edition-2021.pdf>.

l'inflation annuelle du coût des services municipaux. Le point de rupture est inévitable.

Une réflexion plus large sur la gouvernance et le territoire devrait croiser les données portant sur la péréquation municipale et l'indice de vitalisation économique au sein des entités municipales de moins de 2 000 habitants. C'est dans ces quelques centaines de municipalités que la survie administrative est de plus en plus impossible, à brève échéance.

Souffrons-nous d'obésité démocratique en ruralité?

Malgré la dévitalisation qui sévit un peu partout, il existe encore aujourd'hui un fort sentiment d'appartenance en région. Ce sentiment peut être teinté de méfiance ou relever d'une compétition malsaine et contre-productive entre les municipalités, mais il existe bel et bien. Et puis, qui n'a jamais eu de préjugés sur la paroisse voisine ou le canton d'à côté? L'esprit de clocher, comme partout ailleurs, est constitutif de l'histoire du développement rural du Québec et du Canada.

À ce jour, il existe 1 107 entités municipales au Québec. De ce nombre, 711 ont moins de 2 000 habitants et représentent une population de 587 567 personnes. Dans ces microentités, le ratio est de 1 élu municipal pour 117 personnes ou 5 000 élus pour 6,9 % de la population totale du Québec. À titre comparatif, le territoire de la Ville de Montréal compte 117 élus pour une population de 1 825 208, soit un ratio de 1 élu pour 15 600 personnes.

En France, le président Emmanuel Macron n'a pas hésité à soulever la question en 2019 : « Faut-il, et dans quelles proportions, limiter le nombre de parlementaires ou autres catégories d'élus[17] ? » Il y a 517 257 élus municipaux dans l'Hexagone, ce qui représente un taux de 1 personne élue pour 130 habitants.

---

17. Emmanuel Macron, *Lettre aux Français*, Palais de l'Élysée, Présidence de la République française, 13 janvier 2019.

Alors, la question se pose : souffrons-nous d'obésité démocratique en ruralité ? Au-delà des arguments basés sur les émotions, le maintien d'une municipalité de moins de 2 000 personnes se justifie de plus en plus difficilement sur le plan de la saine gestion administrative. De toute façon, le combat des régions et de la ruralité ne passe pas par la multiplication des structures de gouvernance, mais par leur capacité à assurer un minimum vital à tous les êtres humains qui vivent sur leur territoire. Il est impensable que des microentités municipales puissent perdurer devant l'ampleur des défis à venir. S'entêter à conserver un conseil municipal n'est pas le gage du maintien des services de proximité à moindre coût. Au contraire, ce modèle favorise plutôt l'augmentation de la charge fiscale du contribuable, en raison de la multiplication des infrastructures et des services sur un même territoire. Ce mur qui guette les municipalités rurales a clairement été identifié par la Fédération canadienne des municipalités en mai 2018 :

> La plus grande difficulté à laquelle font face de nombreuses collectivités rurales est le manque de ressources financières et humaines. Les recherches menées par la FCM ont permis de constater qu'environ 60 % des municipalités canadiennes comptent cinq employés ou moins. Ces capacités limitées expliquent en partie pourquoi les programmes qui s'avèrent efficaces dans les collectivités urbaines ne donnent pas toujours de bons résultats dans les collectivités rurales[18].

Est-ce qu'une MRC composée de 13 municipalités totalisant 20 000 habitants peut se payer le luxe de maintenir en opération 13 garages municipaux aux normes actuelles sans que cela devienne un pur gaspillage de fonds publics ? C'est le cas de la MRC du Haut-Saint-Laurent et de beaucoup d'autres territoires ruraux au Québec. Récemment, un journal de cette MRC a pris l'initiative de soulever ouvertement le débat,

---

18. *Les défis ruraux : des possibilités nationales à saisir*, Fédération canadienne des municipalités, mai 2018.

citant des sources anonymes émanant probablement du gouvernement régional :

> Selon les rumeurs, Franklin, Howick et Très-Saint-Sacrement se grefferaient à Ormstown. Godmanchester, Hinchinbrooke et Elgin seraient fusionnées à Huntingdon. Sainte-Barbe et Dundee transféreraient à Saint-Anicet. Il n'y a que Saint-Chrysostome et Havelock qui semblent rester intactes. Il faut comprendre que ce sont les municipalités les plus éloignées de la MRC du Haut-Saint-Laurent[19].

Qui osera soulever le débat à visière levée ? Quel élu est prêt à abolir son poste ? Cette réflexion peut sembler brutale, mais dans un contexte où l'on demande aux municipalités de se transformer en milieu de vie et de veiller au grain de l'occupation du territoire, elle devient nécessaire. Si ce n'est pas un manque de courage politique et de réalisme, quel est le but de maintenir autant de royaumes ?

---

19. Steve Sauvé, « Fusion des villes et municipalités du Haut-Saint-Laurent ? », *La Voix régionale*, 27 janvier 2022.

3

Réinventer le modèle de la municipalité rurale

Le début des années 2000 a été marqué par des turbulences qui ont affecté plusieurs municipalités en région. On dénombrait à cette époque plus de 200 communautés municipales où la majorité des emplois et le développement économique reposaient essentiellement sur une seule industrie. C'est aussi à cette époque que l'industrie manufacturière et celles liées à l'exploitation des ressources naturelles ont subi les aléas de la mondialisation, entraînant des milliers de pertes d'emplois un peu partout au pays.

Qu'il me soit permis de revenir ici sur le cas de la ville de Huntingdon, ville mono-industrielle de 2 500 habitants de la MRC du Haut-Saint-Laurent dont 93 % du territoire est consacré à l'agriculture. La fermeture des usines de textile, en 2004-2005, a entraîné en une seule année la disparition d'environ 1 000 emplois directs dans la communauté.

Au même moment, se tramait à 750 kilomètres au nord de Huntingdon une tragédie similaire, avec la fermeture de l'Abitibi-Consolidated à Champneuf. Cette usine de sciage de bois représentait le cœur économique de trois municipalités : Rochebaucourt, Champneuf et La Morandière. Sa fermeture, annoncée le 10 octobre 2006, a entraîné la perte de 70 emplois au sein d'une population totale d'à peine 400 habitants. Rosaire Guénette, maire de Champneuf, racontait en ces termes les conséquences immédiates de la fermeture de l'usine: « À Champneuf, on avait une épicerie et un restaurant, qui ont également fermé. Il n'y a pas assez de population pour faire vivre deux ou trois magasins[1]. »

À Huntingdon comme à Champneuf, l'impact est foudroyant. Deux ruralités différentes l'une de l'autre, mais dans le même Québec. Deux ruralités naviguant en pleine crise sociale au tournant du siècle dernier. Deux ruralités à la merci de la mondialisation économique. Deux ruralités qui allaient en venir à la même solution, mais de façon totalement différente.

Le cas de Huntingdon

Huntingdon s'est développée principalement grâce aux usines de textile. Leur fermeture, en 2004-2005, a privé la Ville d'une grande partie de ses revenus fiscaux puisque ceux-ci provenaient directement de la taxation foncière et de la tarification des services (consommation d'eau et traitement des rejets industriels). Bon an mal an, les usines de textile rapportaient environ 600 000 $ à la municipalité, sur un budget total d'environ 2 millions. Après leur fermeture, il fallait rapidement trouver une solution de rechange, car, en attendant de vendre à rabais les sept édifices industriels, la Ville devait « casquer » pratiquement le tiers de son budget annuel sans étouffer fiscalement ses citoyens, dont la plupart venaient justement de perdre leur emploi. Que faire ? C'était la quadrature du cercle.

Jamais une communauté du Québec n'avait vécu une perte aussi brutale de son moteur économique. Le territoire de la Ville n'ayant que deux kilomètres carrés, il était physiquement impossible de se « virer de bord ». On se sentait confinés comme dans une prison, avec peu de marge de manœuvre. Dans l'urgence, on a dû casser le moule.

C'est en roulant vers Salaberry-de-Valleyfield, sur la route 202, qu'a germé en moi l'idée toute simple d'acheter les usines

---

1. Amélie Saint-Yves, « La crise qui a vidé les régions », *Journal de Montréal*, 27 février 2016.

La fermeture de l'usine Huntingdon Mills a créé une onde de choc
dans la petite municipalité de la Montérégie.
Source: Collection personnelle de Stéphane Gendron.

vides. Il pleuvait cette journée-là, et le député libéral provincial de Huntingdon venait tout juste de lancer l'idée de développer un grand parc industriel pour que la région se relève de ses pertes d'emplois. On parlait même d'établir le projet dans le secteur de Godmanchester, près de la ville, mais dans le canton voisin. J'étais hors de moi. C'est à ce moment-là que j'ai imaginé une solution : on allait acheter les six usines de Cleyn & Tinker et celle de Huntingdon Mills. Il n'était pas question que ma ville se fasse passer un sapin au profit d'un canton agricole voisin, riche et aisé ! C'était une idée assez folle pour une municipalité qui venait de perdre le tiers de son budget en un claquement de doigts.

Mine de rien, et sans en glisser mot aux élus, j'ai entrepris des discussions avec les deux groupes propriétaires des sept usines. En l'espace de six mois, j'avais deux ententes sur la table. Pour la somme de 1,7 million de dollars, la Ville devenait propriétaire d'un immense parc industriel... complètement vide.

Pour arriver à mes fins, j'ai réuni les membres du Conseil municipal en caucus, derrière des portes closes. Je leur ai exposé ma vision, en leur détaillant mon plan et mes négociations, mais sans divulguer le prix convenu. Tour à tour, je leur ai demandé combien ils étaient prêts à mettre sur la table pour faire l'acquisition des six usines de Cleyn & Tinker. Certains riaient avec un air de défiance. Le plus grincheux des élus s'est dit disposé à offrir 2 millions, « pas une cenne de plus ». J'avais négocié 1,5 million. Un *deal*. Pour Huntingdon Mills, le tout s'est réglé par l'effacement de la dette foncière du propriétaire, qui s'élevait à environ 160 000 $. Pour 500 000 pieds carrés d'usine, c'était une aubaine.

Les membres du Conseil municipal ont accepté de prendre le risque. La ministre des Affaires municipales de l'époque, Nathalie Normandeau, n'y voyait que du positif. Il fallait maintenant financer le projet en empruntant sur les marchés publics, une pratique qui a suscité beaucoup d'inquiétudes au sein de la communauté, et ce, même si la démarche était soumise à l'approbation finale du gouvernement et que celui-ci s'engageait financièrement dans la reconversion économique de la ville. Il a fallu ouvrir un registre public de règlements d'emprunt à deux reprises, afin d'éviter la tenue d'un référendum dans la population. Le premier registre avait récolté un nombre suffisant de signatures citoyennes pour organiser un scrutin. Mais à l'heure du nonisme et de la peur, je n'avais pas de temps à perdre. Tenir un référendum aurait signé l'arrêt de mort du projet d'achat des usines par la Ville. La lourdeur démocratique était devenue mon pire ennemi, car elle menaçait notre survie collective. J'ai donc décidé de retirer mon premier projet de règlement d'emprunt et d'en présenter un autre, tout à fait similaire au premier. Le soir du 22 décembre 2005 – le jour de mon anniversaire –, le second registre n'avait pas atteint le nombre requis de signatures citoyennes pour la tenue d'un référendum au moment de le fermer. J'avais gagné le pari de ma vie.

Une fois la vague d'opposition passée, le Conseil municipal a pu commencer à respirer. En devenant propriétaire des édifices industriels, la Ville de Huntingdon faisait l'acquisition d'actifs qui lui permettraient d'avoir plus de contrôle sur son développement et, par extension, sur son avenir. Le vendredi 13 juin 2008, l'Assemblée nationale adoptait à l'unanimité la

Loi concernant la Ville de Huntingdon qui créait un nouveau modèle de municipalité, avec des pouvoirs étendus. Tous les gestes posés par l'Administration municipale en lien avec sa survie recevaient ainsi l'amnistie juridique du Parlement. Une ville possédait maintenant le droit de détenir et d'opérer des parcs industriels, et d'en disposer à sa guise sans avoir à demander la permission au gouvernement central[2].

Malgré l'existence d'un Centre local de développement (CLD) lié à la MRC, la Ville a pris la décision de mettre sur pied sa propre corporation de développement, pour gérer ses propres fonds d'investissement et ses représentations. La Ville pouvait négocier directement avec les entreprises et elle avait le dernier mot sur les projets. Est-ce que les efforts se sont répercutés sur l'indice de vitalité économique de la ville et de la région? Oui. Le graphique ci-dessous démontre l'évolution de l'indice de vitalité économique pour les années 2002 à 2018.

GRAPHIQUE 1

Indice de vitalité économique – Ville de Huntingdon

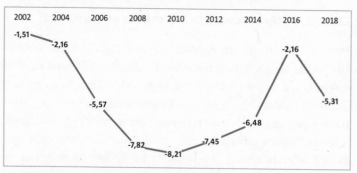

La fermeture de l'ensemble des usines de textile de la ville, annoncée en 2004-2005, a laissé des traces importantes dans l'évolution de l'indice de vitalité économique. Par contre, on constate un redressement constant au fur et à mesure que la Ville reprend le contrôle de ses leviers économiques.

Source: Institut de la statistique du Québec, années 2002-2018, <https://statistique.quebec.ca/docs-ken/fiches/69055.pdf>.

---

2. Assemblée nationale du Québec, *Loi concernant la Ville de Huntingdon*, projet de loi 217, 20 juin 2008.

Le centre du village de Rochebaucourt, en Abitibi. *Source*: Google Street View.

Le cas de Rochebaucourt, La Morandière et Champneuf

Pendant ce temps, en Abitibi, les municipalités de Rochebaucourt, de La Morandière et de Champneuf menaient le
même combat que Huntingdon. Dans la foulée de la fermeture
de leur seule usine de bois, les maires de ces trois communautés ont entrepris une réflexion sur la propriété et l'accès
aux ressources naturelles, en particulier l'accès à celle qui
avait fait vivre une partie importante de leur population: le
bois. On savait que la fermeture de l'usine de Champneuf
était à l'époque une conséquence directe du ralentissement
de la construction domiciliaire aux États-Unis. Cette fermeture s'inscrivait dans une vague de fermetures similaires au
Canada, notamment chez Abitibi-Consolidated et Domtar[3].

3. « Abitibi-Consolidated to close 4 Quebec Mills », *CBC News*, 10 octobre 2006.

Dès l'annonce d'un plan de fermeture, en 2005, les communautés concernées avaient cru bon de créer un organisme afin de mettre en valeur le potentiel économique de la forêt sur leurs territoires municipaux. Cette amorce de solution avait été lancée dans l'appréhension d'une catastrophe – l'usine devait fermer définitivement ses portes en octobre de l'année suivante. Voici comment l'Institut de recherche en économie contemporaine (IREC) décrit la démarche de la communauté :

Une période d'intenses travaux de recherche et de réflexion s'amorce. Comme au temps des paroisses marginales, le climat est très chargé, mais la détermination est aussi ferme que jadis. Ces milieux non seulement ne veulent pas mourir, mais ils sont convaincus qu'ils offrent un fort potentiel qui pourrait être porteur de prospérité, pour peu que les conditions soient réunies pour le valoriser et que les moyens leur soient accordés. Le travail du comité de relance va donc commencer par... recommencer. Recommencer à donner des arguments à ceux et celles qui sont attachés à leurs villages, qui croient en l'avenir, mais qui n'ont trop souvent que des convictions et un sentiment d'appartenance à opposer à ce qui se donne l'air d'être un discours économique imparable. Recommencer à formuler un discours, à faire naître aussi bien une vision d'avenir qu'une volonté de la réaliser[4].

De ces réflexions est né un organisme régional de gestion du territoire et des ressources : la Cellule d'aménagement des Coteaux. L'objectif de cet organisme, regroupant des représentants nommés par les conseils municipaux de Rochebaucourt, de La Morandière et de Champneuf, était de reprendre le contrôle de leur principale ressource naturelle et du développement du territoire sous juridiction municipale, en s'assurant de retombées directes pour les communautés concernées[5].

Depuis 2006, la Cellule a permis de créer une forêt « de proximité », d'exploiter cette ressource sur place et d'assurer des emplois locaux. En devenant un actif important pour les municipalités concernées, elle a incité les élus locaux à pousser plus loin leur réflexion sur la mise en commun de leurs ressources : s'ils pouvaient gérer le territoire d'une façon collective, avec des répercussions positives sur les trois communautés, pourquoi ne pas faire front commun ? Était-il possible de s'entendre sur une seule administration municipale, une seule voie communautaire ? Le débat était lancé.

Malgré tous leurs efforts pour se réinventer, la dévitalisation endémique des trois municipalités composant la Cellule s'est quand même poursuivie. Comme le graphique suivant le montre, l'indice de vitalité économique de Rochebaucourt a varié en fonction des aléas économiques liés à l'exploitation des ressources naturelles. Par ailleurs, la seule école de La Morandière a fermé ses portes en 2017, ne comptant plus que

---

4. Robert Laplante et Charles Provost, « Le cas de Champneuf et l'émergence de la notion de forêt de proximité », Montréal, Institut de recherche en économie contemporaine (IREC), février 2010, p. 45.

5. Cellule d'aménagement des Coteaux, <www.celluledescoteaux.org/>.

neuf inscriptions cette année-là[6]. Depuis, aucun enseignement public n'est dispensé sur le territoire des trois municipalités de la Cellule. Comment voulez-vous attirer de nouvelles familles dans de telles circonstances?

GRAPHIQUE 2

Indice de vitalité économique – Municipalité de Rochebaucourt

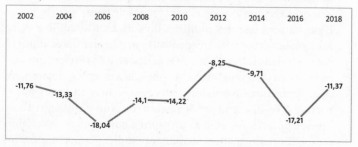

Source: Institut de la statistique du Québec, années 2002-2018, <https://statistique.quebec.ca/docs-ken/fiches/88010.pdf>.

Malgré les obstacles, deux de ces trois municipalités – Rochebaucourt et La Morandière – ont poursuivi leur réflexion sur l'occupation du territoire, y compris la question de la fusion municipale. Quel serait le modèle municipal qui permettrait aux deux communautés d'assurer leur pérennité? L'aboutissement logique de l'expérience de la Cellule était la fusion municipale. C'est ainsi qu'une demande en ce sens a été adressée au ministère des Affaires municipales en 2019. Une fois fusionnée, la nouvelle entité disposerait d'une population de 336 habitants et d'une superficie totale de 610 kilomètres carrés[7].

Par cette démarche, les leaders municipaux veulent faire la démonstration que la viabilité d'une entité municipale ne repose pas seulement sur des données désincarnées[8].

---

6. «L'école de La Morandière sera fermée», *Radio-Canada.ca*, 8 février 2017.

7. À titre indicatif, cela représente environ 1,2 fois le territoire de l'île de Montréal.

8. L'Étude sur les implications d'un regroupement municipal a été présentée aux conseils municipaux à la séance régulière d'octobre 2021.

[D]epuis quelques années, le contexte socioéconomique semble favoriser un rapprochement du milieu municipal. D'une part, l'évolution des besoins sociaux encourage la coopération intermunicipale et, d'autre part, la recherche d'une synergie supralocale en matière de développement économique, social et culturel appelle les municipalités à se concerter davantage. En somme, les défis qui se présentent à la collectivité témiscamienne amènent les instances municipales locales à repenser leur organisation ainsi que leurs façons de faire.

Dans ce contexte, les municipalités de La Morandière et de Rochebaucourt ont été amenées au cours des dernières années à coopérer dans le but d'optimiser la desserte de services municipaux. Au fil du temps, elles ont conclu des ententes, notamment pour l'entretien hivernal de leurs routes, tout en favorisant le partage d'équipements et de ressources. Afin d'envisager l'avenir de leur territoire et dans un esprit d'ouverture et de collaboration, les municipalités souhaitent étudier l'opportunité d'un regroupement municipal[9].

Les conseils municipaux des deux communautés ont convoqué la population à une consultation publique les 5 et 6 avril 2022.

L'urgence d'agir

Huntingdon et Rochebaucourt sont deux facettes d'une même ruralité dévitalisée. Même si elle peut s'avérer une course à obstacles aussi longue que fastidieuse, la reprise en charge du développement de son milieu est un gage de succès pour l'avenir. Elle peut également mener à un rebrassage des structures de gouvernance, comme le nouveau modèle municipal asymétrique et atypique né de ces deux tragédies sociales. Il n'existe pas de solution universelle, mais lorsqu'on lui donne les leviers nécessaires, une communauté peut avancer. Il ne faut plus attendre d'être en situation de crise pour inventer un modèle municipal sur mesure, il faut y réfléchir en amont.

---

9. Étude sur les implications d'un regroupement municipal, p. 5.

Lorsqu'on aborde la question de l'avenir de la ruralité, une constante se dégage : c'est l'urgence d'agir. La modernité, l'urbanisation, le vieillissement de la population, la désertification sociale des 50 dernières années et les changements climatiques sont autant de facteurs qui jouent contre la ruralité. Il n'y a plus de temps à perdre. Nous sommes devenus ce glacier qui disparaît lentement mais sûrement, au profit d'excroissances urbaines qui ne cessent de s'étendre toujours plus loin.

Espérons que les pouvoirs centraux ont maintenant compris que les fusions municipales doivent émaner du milieu concerné. Les désastreuses expériences du passé en matière d'occupation du territoire expliquent en grande partie l'émoi et la méfiance des communautés locales suscités par les solutions imposées d'en haut, c'est-à-dire par Québec. Au moment d'écrire ces lignes, il existe seulement deux études de regroupements municipaux sur la table à dessin du ministère des Affaires municipales[10]. C'est bien peu considérant l'état de notre ruralité. Que fait le gouvernement du Québec pour relancer la discussion sur les fusions municipales ?

Faudra-t-il attendre une désertification sociale totale de nos communautés avant d'envisager ce genre de solution et de mettre nos fiertés locales de côté ? Dans bien des municipalités, nous sommes à la fois les spectateurs et les acteurs de notre propre agonie. Allons-nous faire comme la société américaine et constater un jour la division de notre société en deux clans antagonistes : celui des villes libérales et modernes et celui de la ruralité pauvre et conservatrice ? Notre modèle d'occupation du territoire semble être arrivé au bout de sa logique. Il faut immédiatement entreprendre un vaste chantier visant à regrouper le monde municipal rural. Nous n'avons plus le luxe d'être pauvres et souverains chacun dans notre coin.

---

10. Outre Rochebaucourt et La Morandière, l'autre étude sur la possibilité d'un regroupement implique les Municipalités de Courcelles, en Estrie, et de Saint-Évariste-de-Forsyth, en Chaudière-Appalaches.

4

Les Îles-de-la-Madeleine, entre réfugiés climatiques et « barcelonisation »

L'éditorialiste François Cardinal a sans doute été le premier à poser la question, un mois après la puissante tempête hivernale qui a balayé la Communauté maritime des Îles-de-la-Madeleine à l'automne 2018 :

> Suffit d'y faire un tour en hiver pour voir l'effet du réchauffement : la glace disparaît souvent du littoral, au point de laisser les côtes complètement nues et vulnérables. Une tempête peut ainsi arracher d'énormes portions de berges. Des vagues peuvent repartir avec des dunes de plusieurs mètres de haut, comme c'est arrivé fin novembre. Quand on sait que les deux tiers des 240 kilomètres de côtes de l'archipel sont faits de dunes de sable, on peut se poser la question : les Madelinots deviendront-ils des réfugiés climatiques un jour[1] ?

En effet, que sera devenu l'archipel en 2050 ? La succession de tempêtes, en 2018 et 2019, a mis en relief la vulnérabilité du territoire et de sa population : bris de communication, effondrement de berges, pannes électriques prolongées, isolement complet, sans parler des dommages aux infrastructures civiles, résidentielles et sous-marines de communication. Comme l'expliquait le maire des Îles-de-la-Madeleine, Jonathan Lapierre :

---

1. François Cardinal, « On n'en a pas assez parlé », *La Presse*, 26 décembre 2018.

C'est comme si vous vous réveilliez un matin et que tout à coup c'est impossible de sortir de la maison, de communiquer avec qui que ce soit à l'extérieur de votre maison et que, peu importe ce qui vous arrive, vous êtes laissé à vous-même. Car, dans une situation où il n'y a ni contact et, surtout, aucune possibilité d'entrer ou sortir de l'archipel, tout devient une question de vie ou de mort. C'est impossible d'évacuer des gens pour maladie, pour des traumatismes crâniens, par exemple, ou des accidentés de la route, des arrêts cardiaques. Il n'y a aucun spécialiste ou presque pas de spécialistes aux Îles-de-la-Madeleine, pas de radiologiste présent, pas de contact avec des hôpitaux dans les grands centres urbains pour de l'assistance[2].

C'est dans ce contexte anxiogène que la question de l'occupation du territoire s'est imposée. Comme le mentionne Serge Bourgeois, directeur de l'aménagement du territoire et de l'urbanisme à la municipalité :

> Sera-t-il possible de maintenir des communautés comme la nôtre dans des zones aussi vulnérables dans le contexte des changements climatiques ? Nous disons que les humains peuvent s'adapter. Bien sûr, mais à quel prix ? Aurons-nous les moyens financiers de maintenir les populations dans des zones si vulnérables ? C'est la grande question pour moi. Si le gouvernement de palier supérieur n'aide pas les communautés, il y aura de gros problèmes[3].

À ce jour, les scientifiques canadiens ont évalué que la hausse du niveau de l'océan Atlantique serait d'environ 80 centimètres au cours des 80 prochaines années. Les Îles-de-la-Madeleine étant le seul territoire québécois du golfe du Saint-Laurent fortement habité, les conséquences à venir du réchauffement climatique risquent d'y être non seulement coûteuses, mais aussi lourdes sur le plan humain. Et en plus de la hausse du niveau de l'eau, cette communauté insulaire d'environ 12 000 personnes

---

2. Pierre Saint-Arnaud et Morgan Lowrie , « Les Îles-de-la-Madeleine se relèvent de la tempête », La Presse canadienne, 30 novembre 2018.

3. « À la limite. Confronter les changements climatiques aux Îles-de-la-Madeleine », *Atlas climatique du Canada*, <https://atlasclimatique.ca/la-limite>.

est également aux prises avec l'enfoncement progressif de son sol dans l'eau[4]. L'avenir semble plus que jamais incertain.

Bien évidemment, l'occupation d'un territoire insulaire éloigné a un prix, qui plus est lorsqu'il a la forme d'un archipel. Depuis quelques années, Hydro-Québec jongle avec l'idée d'installer deux nouveaux câbles sous-marins de communication pour relier les Îles-de-la-Madeleine au continent via un branchement terrestre à Val-d'Espoir, à la périphérie de Percé. Il s'agit d'une installation sous-marine de 225 kilomètres de long, qui nécessite un budget de plus de 1 milliard de dollars, selon des estimations très préliminaires de la société d'État divulguées en septembre 2021[5].

Or, le choix technologique privilégié par Hydro-Québec n'est pas nécessairement celui souhaité par la communauté locale. Plusieurs Madelinots auraient préféré une forme mixte d'énergie, incluant le solaire, la biomasse et l'éolien[6]. Même si le maire Jonathan Lapierre a souligné l'importance d'adopter une solution favorisant l'autonomie de l'archipel et la diversité des sources d'énergie[7], la société d'État a tranché : ce seront des câbles sous-marins.

Les travaux n'ont pas encore débuté et, déjà, dans les officines, on parle d'un projet de plus de deux milliards de dollars. Le chantier pourrait s'éterniser au-delà de la date prévue pour sa mise en fonction, en 2027. Il s'agit encore une fois d'un choix imposé par le gouvernement central. Puisque le financement viendra de Québec, il y en aura pour cautionner cette façon de gouverner.

---

4. Gaétan Pouliot, « Votre ville est-elle menacée par la montée des océans ? », *Radio-Canada.ca*, 2015.

5. « Le raccordement au réseau principal demeure l'instrument privilégié pour la transition énergétique aux Îles-de-la-Madeleine », communiqué de presse, Hydro-Québec, 7 septembre 2021.

6. Isabelle Larose, « Transition énergétique aux Îles : le gaz naturel fait partie des scénarios », *Radio-Canada.ca*, 18 septembre 2020.

7. Hélène Baril, « Le maire des Îles-de-la-Madeleine rêve d'autonomie énergétique », *La Presse*, 4 août 2020.

Pénurie de logements et érosion des berges

Cette situation de dépendance extrême ne s'arrête pas là. En 2020, la Ville a dû quêter à Québec des pouvoirs spéciaux afin de faire face à une importante pénurie de logements sur son territoire. C'est à la suite de cette demande que l'Assemblée nationale a adopté une loi autorisant la municipalité à mettre sur pied un programme d'aide financière à la construction résidentielle jusqu'en 2026[8].

À la veille des élections municipales de 2021, le maire Jonathan Lapierre a eu l'audace de présenter un avis de motion, assorti d'un premier projet de règlement, concernant un gel et une réforme de l'hébergement touristique :

> On a entendu le message de la population des Îles qui dit que, de plus en plus, le coût des maisons augmente, que l'accès à la propriété est difficile parce qu'il y a de la spéculation et parce qu'il y a un paquet de gens qui achètent des maisons secondaires pour les louer de façon temporaire. L'avis de motion, c'est dans l'objectif d'adopter un règlement qui viendrait interdire la conversion d'une maison secondaire en résidence de tourisme dans le secteur résidentiel[9].

Le 8 février 2022, le conseil municipal a procédé à l'adoption finale de son règlement, sans même devoir tenir un référendum.

Récemment, les élus des Îles ont réclamé un investissement urgent en infrastructures, de l'ordre de 80 millions de dollars sur une période de 10 ans, afin de contrer les effets de l'érosion des berges. Quel montant sommes-nous prêts à payer pour régler ce genre de problème ? Quelles solutions nous semblent les plus réalistes si l'on tient compte de nos moyens financiers ? Est-ce que l'occupation du territoire a un prix ?

---

8. Assemblée nationale du Québec, *Loi concernant la Municipalité des Îles-de-la-Madeleine*, projet de loi 213, première session, quarante-deuxième législature.

9. Isabelle Larose et Joane Bérubé, « Hébergement touristique : gel et réforme aux Îles-de-la-Madeleine », *Radio-Canada.ca*, 6 octobre 2021.

Érosion des berges aux Îles-de-la-Madeleine.
Source: Laboratoire de dynamique et de gestion intégrée des zones
côtières, Université du Québec à Rimouski (UQAR).

Outre la posture colonialiste des pouvoirs centraux à l'égard de la communauté des Îles, la situation de l'archipel illustre parfaitement une certaine nonchalance de la part des élus de Québec et d'Ottawa à l'égard de l'urgence climatique. Les gouvernements centraux préfèrent ignorer l'éléphant dans la pièce. Au lieu d'attendre une tempête ou un cataclysme, n'est-il pas temps de convoquer une commission scientifique sur la pérennité de la communauté des Îles afin d'y voir un peu plus clair? Les Madelinots sont les premiers concernés. La municipalité a d'ailleurs convoqué une séance d'information publique, le 15 septembre 2021, afin de présenter à la population la première phase des travaux urgents à effectuer contre l'érosion des côtes − des travaux évalués à 9 millions de dollars. Interrogé sur la possibilité d'installer un mur brise-lames ceinturant l'archipel, comme on le voit près des côtes du Texas, le consultant en génie côtier Yann Ropars explique pourquoi cette solution n'a pas été retenue :

> Il y a plusieurs raisons pour lesquelles ce projet n'a pas été retenu. La principale, je le dirai tout de suite, c'est le coût. On parle de coûts – qui n'ont pas été évalués –, mais on parle probablement de coûts quatre à dix fois plus cher que ce que nous vous présentons[10].

Qui osera sonner la fin de la récréation en exposant clairement aux habitants de l'archipel la réalité qui les attend ? Qui soulèvera la question de la fermeture éventuelle des Îles, ce coin de paradis prisé par de nombreux touristes québécois qui vont annuellement piétiner le peu de berges et de plages qu'il reste ? Certains n'hésiteront pas à s'interroger sur la décision d'investir des sommes colossales en infrastructures sans avoir la certitude que celles-ci pourront perdurer. Continuerons-nous à mentir à toute une population que l'on n'ose pas encore qualifier de « réfugiés climatiques » ?

Il ne s'agit pas ici de faire preuve de la même insensibilité que celle des technocrates de l'Office de planification de l'Est du Québec vis-à-vis des paroisses dites « marginales » dans les années 1970. Bien au contraire. L'occupation du territoire doit permettre à ses habitants d'y vivre convenablement, ce qui risque de ne plus être le cas aux Îles-de-la-Madeleine, qu'on le veuille ou non.

L'enjeu du tourisme

Bien évidemment, la communauté des Îles-de-la-Madeleine fait aussi face à d'autres défis, dont l'accaparement et la gentrification de son territoire par des gens de l'extérieur, ainsi que la « barcelonisation » de sa vie communautaire. Le tourisme contribue-t-il à la destruction du tissu social ou permet-il d'assurer une diversité économique ? Dans sa stratégie de

---

10. Séance d'information, Municipalité des Îles-de-la-Madeleine, 15 septembre 2021.

tourisme durable 2021-2026, Tourisme Îles-de-la-Madeleine se dit bien conscient de l'équilibre fragile à maintenir entre la vie locale, l'environnement et le tourisme. Il semble d'ailleurs exister un consensus dans le milieu pour imposer un plafond de touristes ne dépassant pas 70 000 personnes par année, même si on veut aussi développer un tourisme de niche qui permettrait d'allonger la saison sur une période de 12 mois :

> L'idée est de continuer de limiter la promotion générique en haute saison, d'investir dans l'intensification de l'expérience touristique plutôt que dans l'augmentation de la fréquentation pour les mois de juillet et août[11].

Actuellement, la majorité du tourisme se concentre sur une courte période de l'année[12]. Selon un sondage mené auprès de 500 personnes résidentes des Îles-de-la-Madeleine, au printemps 2020, 57 % des répondants trouvaient qu'il y avait trop de touristes pendant la saison estivale alors que 89 % d'entre eux reconnaissaient l'impact économique important du tourisme[13]. Selon des données colligées par la municipalité, le tourisme arrive au deuxième rang du produit intérieur brut de l'archipel (50 millions de dollars par année – en pleine croissance), tout juste après les ressources halieutiques (80 millions par année)[14].

Malgré la résilience des résidents et leur indéniable volonté d'occuper le territoire, la Communauté maritime des Îles-de-la-Madeleine subit quotidiennement les contrecoups et les effets pernicieux de l'inféodation des petites municipalités envers le gouvernement central de Québec. Ainsi, plusieurs ministères n'ont pas de représentation dans la Communauté. Le centre hospitalier ne dispose pas des ressources de base

---

11. « Agir ensemble pour un tourisme responsable et durable », Tourisme Îles-de-la-Madeleine, 2021, p. 17.

12. « La structure économique », Communauté des îles-de-la-Madeleine, <www.ilesdelamadeleine.com/economie/>.

13. Isabelle Larose, « Tourisme aux Îles-de-la-Madeleine : les deux revers de la médaille « », *Radio-Canada.ca*, 1er octobre 2020.

14. « La structure économique », *op. cit.*

pour traiter les cas majeurs. Les communications et la production énergétique dépendent du continent, comme une
colonie-comptoir dépend de sa métropole. Cette situation
archaïque ne tient pas compte de la situation exceptionnelle
des Îles-de-la-Madeleine.

Considérant l'avenir incertain de la Communauté des Îles,
celle-ci n'a pas le luxe d'être divisée quand vient le temps de
passer à action. Quelqu'un voudra bien m'expliquer les raisons
de maintenir une municipalité comme Grosse-Île, qui compte
une population de 474 habitants, si ce n'est celle d'assurer
aux anglophones une représentation municipale bien à eux ?
C'est en effet pour cette raison que cette communauté a voté
en 2004 en faveur de sa défusion avec la Ville des Îles-de-la-
Madeleine – Grosse-Île a été reconstituée en municipalité en
2006[15]. En 2012, l'indice de vitalité économique de Grosse-Île
était évalué à - 5. Maintenir une municipalité dans ce contexte
n'a plus de sens. Le seul scénario acceptable et respectueux de
l'histoire des Madelinots est la création d'une entité complètement bilingue. Nous n'avons plus le luxe de nous diviser ainsi.

Même si le statut juridique d'agglomération confère à la
Communauté maritime des Îles-de-la-Madeleine certains
pouvoirs supplémentaires, son insularité fait de celle-ci une
province à l'intérieur de la province. C'est pourquoi il faut
donner plus de pouvoirs au « gouvernement des Îles ». Sans ces
pouvoirs, la Communauté ne pourra pas faire face aux défis
qui risquent de se dresser devant elle au cours des prochaines
décennies.

En fait, ce que vit la Communauté maritime des Îles-de-la-
Madeleine devrait être l'occasion de créer une nouvelle forme
de gouvernance des municipalités, axée sur l'autonomie dans
le plus de champs de juridiction provinciale possible. L'idée
peut sembler farfelue, mais elle existe déjà. Depuis bon nombre

---

15. Isabelle Larose, « Regard sur 20 ans de fusion municipale aux Îles-
de-là-Madeleine », *Radio-Canada.ca*, 27 janvier 2022.

d'années, les communautés des Premières Nations détiennent beaucoup plus de pouvoirs qu'une simple municipalité.

Il faut cesser de considérer les Îles-de-la Madeleine comme une image de carte postale. Elles ne sont pas seulement le terrain de jeu des continentaux. Elles font officiellement partie du Québec depuis l'Acte de Québec, sanctionné en 1774. Qui sait si, un jour, cette communauté ne se trouvera pas mieux considérée sous une autre juridiction que celle de la province de Québec ? Pour l'heure, les Îles font partie de notre territoire, mais les Îles, ce n'est pas le Québec. Les Îles-de-la-Madeleine, c'est un pays.

5

Le territoire et l'effondrement environnemental

Je suis un enfant des pluies acides. Jeune élève au secondaire dans les années 1980, c'était la première fois que j'étais confronté à une crise environnementale d'envergure internationale, avec des répercussions directes dans mon milieu de vie. J'ai le souvenir très vif d'une immense affiche en bordure de l'autoroute des Laurentides qui disait « Il pleut à mourir », avec l'image d'une érablière à l'agonie en toile de fond. C'était un message choc de l'Union des producteurs agricoles (UPA)[1].

À la même époque, la radio faisait tourner la chanson à succès *Question de feeling*, de Fabienne Thibeault et Richard Cocciante, tout en nous balançant l'information troublante que nous avions déjà atteint le cap des 3 milliards d'êtres humains sur Terre (*et combien de cœurs solitaires ?*). Depuis, je ne cesse de m'interroger sur la finalité du genre humain

---

1. Fait intéressant à noter : en 1996, une étude du Département de biologie et du Centre d'études nordiques de l'Université Laval a démontré que les effets de ces pluies acides avaient été largement exagérés dans le discours public : « Le dépérissement des années 1980 fait partie de la catégorie des perturbations naturelles caractérisant la dynamique des peuplements forestiers, et qui comprend entre autres l'action combinée ou isolée de la sécheresse et des infestations d'insectes et, dans une moindre mesure (qui reste encore à démontrer), celle du gel-dégel hivernal. La pollution d'origine anthropique ne paraît pas être, à cet égard, un facteur ayant joué un rôle clé dans le dépérissement des années 1980. » Voir Jean Hamann cité dans « Dépérissement des érablières : les pluies acides innocentées ? », *Le Fil des événements*, Université Laval, 10 octobre 1996.

et de la planète. Question trouble de l'adolescence demeurée sans réponse...

Puis, au tournant du millénaire, on assiste à la grande messe environnementale qui a abouti à la signature du protocole de Kyoto, en 1997. Cette fois, c'est le réchauffement climatique et les gaz à effet de serre (GES) causés par les activités humaines qui inquiètent la planète. Mais depuis la signature de cet accord, ni le Canada ni le Québec n'ont réussi à atteindre leurs cibles de réduction de GES. Les moyens mis en œuvre – par exemple, la taxe sur le carbone ou la Bourse du carbone, selon le modèle québécois/californien – demeurent globalement insignifiants. Les dirigeants semblent incapables de passer de la parole aux actes, se heurtant bien évidemment à l'immobilisme de la population qui estime faire déjà « sa part pour l'environnement » en sortant son bac de recyclage une fois toutes les deux semaines. Nos chefs politiques voguent d'une élection à l'autre sur des clichés et des slogans creux, tel « Pour un Québec vert », allant jusqu'à nous promettre un État québécois exemplaire pour le reste de la planète. En quoi un Québec soudainement indépendant ferait mieux pour alléger son empreinte environnementale actuelle ? Au bilan, tout cela n'est que démagogie.

Le 30 septembre 2019, le Front commun pour la transition énergétique, qui rassemble des forces vives de la société civile[2], a sonné l'alarme climatique en rendant publique sa feuille de route pour un Québec zéro émission nette (ZEN). Leur message était clair et sans équivoque : il faut reconstruire la société sur d'autres valeurs que celles du capitalisme sauvage.

> Le défi écologique n'est pas qu'un défi technique. C'est avant tout un travail de redéfinition de nos valeurs. Car miser sur des solutions techniques « miraculeuses » est un leurre [...]. Nos

---

2. Le Front commun rassemble des organisations d'origines diverses, mais toutes interpellées par la crise climatique, telles que l'Union paysanne, Équiterre, la Confédération des syndicats nationaux (CSN), Greenpeace et Idle No More.

réponses doivent être pensées et déployées dans un paradigme foncièrement nouveau. Il est ainsi de notre devoir de cultiver la dissidence à l'endroit du discours dominant[3].

Depuis de nombreuses années, les rapports successifs du Groupe d'experts intergouvernemental sur l'évolution du climat (GIEC) alertent le monde entier sur l'état de la planète. D'ici 2050, nous devrions subir de plus en plus fréquemment des phénomènes climatiques sans précédent, et ce, de manière subite et imprévisible. L'opinion scientifique majoritaire est claire: nous avons perdu la bataille du réchauffement climatique. «La vie sur Terre peut se remettre d'un changement climatique majeur en évoluant vers de nouvelles espèces et en créant de nouveaux écosystèmes. L'humanité ne le peut pas[4]», peut-on lire dans le projet de rapport du GIEC de juin 2021, qui a précédé le rapport d'évaluation complet de 4 000 pages rendu public en février 2022. Il nous sera donc pratiquement impossible d'atteindre les objectifs établis lors de la Conférence de Paris de 2015 sur les changements climatiques (COP 21), qui devaient limiter le réchauffement climatique à moins de 2 degrés Celsius d'ici 2050. Cet accord, pourtant contraignant, n'a toujours pas été pleinement respecté par les pays signataires.

Cette défaite annoncée de l'Humanité était-elle prévisible? À l'heure où l'individualisme règne en maître sur une Terre qui se targue d'être devenue un immense village global, la solidarité se révèle plus souvent qu'autrement une utopie. Nos dirigeants évoluent dans un cadre électoral de courte durée et, pour conserver le pouvoir ou espérer l'obtenir, ils doivent se faire rassurants et rassembleurs – c'est le propre de nos démocraties libérales. Susciter de l'instabilité et du changement n'est pas le meilleur moyen de s'assurer une victoire électorale; comme on dit dans le jargon, il faut éviter d'être

---

3. «Projet Québec ZEN», Front commun pour la transition énergétique, 30 septembre 2019, p. 8.
4. «L'humanité à l'aube de retombées climatiques cataclysmiques», Agence France-Presse, 23 juin 2021.

« clivant ». Demander à l'électorat des sacrifices dont il ne verra aucun bénéfice à court terme équivaut donc à un suicide politique annoncé.

Comme le soulignent Catherine P. Perras et Christian Savard, tous deux de l'organisme Vivre en ville, « même si nous mettions tout en œuvre pour réduire notre empreinte carbone, nos efforts ne se feront sentir que dans la deuxième moitié du siècle. D'ici 2050, les impacts liés aux changements climatiques s'amplifieront inévitablement. S'adapter n'est plus une option[5]. » La crise climatique permanente qui est en train de s'installer graduellement va redéfinir notre lien au territoire, peu importe l'endroit de la planète où nous vivons. Quels seront les effets sur l'occupation du territoire québécois ?

Des terres menacées de disparition

Les statistiques annuelles de la Financière agricole révèlent que la superficie des terres en culture maraîchère au Québec stagne depuis cinq ans. Pourtant, au cours de la même période, on constate une progression de la consommation de légumes produits à l'intérieur (principalement en serriculture). En 2018, ceux-ci représentaient déjà 31 % de la consommation totale de légumes au Québec. À l'automne 2019, le gouvernement du Québec a exprimé son soutien à l'agriculture intérieure, espérant faire passer la production de 41 000 tonnes à 82 000 tonnes en 3 ans[6]. La tendance vers une agriculture hors champ semble irréversible.

De toute façon, quel choix s'offre à nous lorsque nous constatons la disparition appréhendée des terres noires de ma région natale, les Jardins du Québec ? Au siècle dernier, cet

---

5. Catherine P. Perras et Christian Savard (respectivement conseillère en aménagement et urbanisme, et directeur général, Vivre en ville), « Traverser les crises : s'adapter aux transformations du climat », *La Presse*, 6 octobre 2021.

6. Jean-François Venne, « Poussent, poussent, poussent les serres du Québec », *Les Affaires*, 14 avril 2021.

endroit de la Montérégie faisait partie des meilleures terres arables de la province, produisant des cultures d'une qualité exceptionnelle. La texture de cette terre noire n'avait rien à voir avec la rudesse des terres argileuses. Enfant, j'anticipais toujours avec beaucoup de plaisir les journées passées dans les terres noires du rang Saint-Paul, à Saint-Rémi. Mais avec le temps, les cultures intensives, le travail du sol, le vent et la sécheresse, ces terres sont aujourd'hui menacées de disparition. En l'espace d'une génération, on les a vues fondre et disparaître. Deux centimètres de sol disparaissent chaque année. D'ici 50 ans, il ne restera qu'un fond de glaise bleue. Comme le raconte un producteur de la MRC des Jardins-de-Napierville :

> Ça se voit par la hauteur des chemins de campagne. À l'époque où nos parents se sont installés à Sherrington, en 1951, les terres étaient à la hauteur du rang. Aujourd'hui, elles sont un mètre plus bas. Nous, on le voit parce qu'on vit dedans, mais quelqu'un qui passe devant va dire : Oh, les belles terres[7] !

Cette région produit à elle seule plus de la moitié des légumes du Québec. La situation est inquiétante.

La fin de l'agriculture aux champs

Une analyse froide des données annuelles de la Financière agricole du Québec et de Statistique Canada nous permet également de constater un fait surprenant : la majorité des terres en culture au Québec n'est aucunement destinée à la consommation humaine, mais plutôt à l'alimentation des divers cheptels, principalement bovins et porcins. En effet, nos terres ne produisent que 35 % de notre consommation alimentaire et 75 % de nos terres en culture servent à nourrir des animaux,

---

7. Daphné Cameron, « Agriculture : Les terres noires menacées de disparition », *La Presse*, 25 avril 2019.

selon ce que confirme une étude du professeur d'agroécono-
mie Patrick Mundler, de l'Université Laval[8].

Une part importante de ces animaux est destinée au marché étranger. C'est la façon dont notre modèle agricole s'est
développé, au gré de l'inévitable intégration économique des
marchés en Amérique et ailleurs sur la planète. La souveraineté alimentaire[9] de la population québécoise dépasse à
peine les 50 %[10]. Il ne reste qu'un maigre 2 % des terres québécoises consacrées à la culture maraîchère et destinées à
alimenter directement la population. Or, la superficie de ces
précieuses terres maraîchères, principalement concentrées en
Montérégie, a légèrement diminué au fil des ans.

Le changement climatique, avec ses brusques variations de
température, provoque chaque année son lot de réclamations
auprès du Programme d'assurance récolte de la Financière
agricole du Québec. À noter que les données présentées ici ne
tiennent pas compte des producteurs agricoles sans assurance,
ce qui alourdit le bilan annuel réel.

La hausse importante des réclamations n'est pas un phénomène propre au Québec. En France, le président de la République a annoncé un nouveau programme d'assurance récolte
de 600 millions d'euros par année (plus de 850 millions de
dollars canadiens) pour répondre à la progression constante
des réclamations liées aux changements climatiques[11].

Dans un tel contexte, l'agriculture aux champs – qu'elle
soit conventionnelle ou biologique, de petite ou de grande
surface – doit s'adapter aux changements climatiques. Par

---

8. Maxime Corneau, « Le Québec loin de l'autonomie alimentaire »,
Radio-Canada.ca, 14 octobre 2020.

9. On peut aussi parler d'autosuffisance alimentaire, la mesure en pour-
centage permettant de mesurer la production alimentaire d'une juridiction
par rapport aux besoins de sa population.

10. « Le gouvernement Legault veut accroître l'autonomie alimentaire
du Québec », La Presse canadienne, 19 novembre 2020.

11. « Réformer l'assurance récolte, un impératif de résilience pour les
agriculteurs », ministère de l'Agriculture et de l'Alimentation de France,
10 septembre 2021.

GRAPHIQUE 3

Réclamations au programme d'assurance récolte de la Financière agricole du Québec

Rapports annuels des indemnités versées, 2015-2021. En millions de dollars

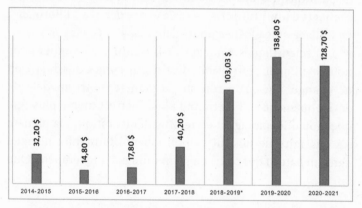

* En 2018-2019, les couvertures de protection du programme d'assurance récolte de la Financière agricole du Québec ont été bonifiées. Cette année-là, plusieurs problèmes en lien avec la crise climatique ont entraîné une hausse des réclamations : gel hivernal des céréales d'automne, sécheresse historique, saison acéricole désastreuse dans certaines régions. Voir : *Rapport annuel 2018-2019*, Financière agricole du Québec, p. 10, <www.fadq.qc.ca/fileadmin/fr/rapports-annuels/rapport-annuel-2018-2019.pdf>.

exemple, les épisodes de sécheresse forcent les producteurs aux champs à aménager des bassins versants afin de recueillir l'eau pour la réintroduire dans la nappe phréatique, ce qui entraîne inévitablement un redécoupage du territoire[12]. Les solutions pour faire face au défi climatique existent, mais elles sont de plus en plus coûteuses et elles nécessitent parfois une approche locale, à très petite échelle.

L'exemple de la rivière Colorado, une des principales artères d'irrigation de notre continent, a de quoi laisser songeur. Dans cette région, la « guerre de l'eau » fait déjà rage entre des agriculteurs acculés à la faillite qui assistent à la mort de leurs

---

12. Dan Charles, « Water is scarce in California. But farmers have found ways to store it underground », *National Public Radio*, 5 octobre 2021.

troupeaux, les Premières Nations qui doivent s'alimenter, le secteur de Las Vegas qui a besoin d'être fourni en eau potable et en énergie électrique, et les espèces de poissons en voie de disparition qu'il faut préserver en vertu de la loi. Ce sont là les éléments d'une grave crise sociale qui se dessine à l'horizon[13]. Le Canada et le Québec pourraient ne pas y échapper.

Les scientifiques n'ont plus suffisamment de mots pour nous expliquer l'effroyable destin qui nous attend, si rien ne change. Où qu'on soit sur la planète, notre modèle de développement ne fonctionne plus. Ce n'est même plus une question d'idéologie ou de régime démocratique; la planète n'a que faire de nos luttes politiques. L'humanité navigue dans un bateau qui coule en plein milieu d'une tempête. Que faire?

L'épuisement de notre modèle agricole

Au cours des 150 dernières années, les gouvernements canadiens et québécois ont misé sur l'agriculture et les ressources naturelles pour repousser toujours plus loin les frontières du territoire à occuper. Il le fallait. À l'image des grandes corvées, le territoire était le prétexte à la fois romantique et politique pour donner du travail à une population désœuvrée. La pratique de l'agriculture a sans aucun doute été un facteur déterminant dans la façon dont nous avons occupé le territoire jusqu'à présent. Mais celle-ci doit-elle encore être au cœur de notre politique d'occupation du territoire? La question demeure irrésolue, car la réponse n'est pas simple.

La pratique de l'agriculture au Québec n'est pas isolée de l'environnement mondial dans lequel elle évolue. La crise sanitaire entourant la COVID-19 a exposé au grand jour la très grande fragilité de la chaîne alimentaire un peu partout

---

13. Drew Kann, Renée Rigdon et Daniel Wolfe, « The Southwest's most important river is drying up », CNN, 21 août 2021.

sur la planète. Par ailleurs, en Amérique du Nord, l'intégration du marché alimentaire et la forte concentration de son capital entre les mains de quelques grands joueurs ont eu pour effet de déposséder l'agriculteur sur plusieurs plans.

L'agriculteur du XXIᵉ siècle n'est propriétaire de sa terre que par son acte de vente. Car s'il en est le détenteur officiel inscrit au registre des droits réels immobiliers, il n'a plus de contrôle sur la vie de son entreprise; il ne s'appartient plus. Tous les jours, l'agriculteur se borne à appliquer des normes édictées par d'autres, il ne peut plus disposer de sa terre comme il l'entend. Le rêve de cultiver sa parcelle ou d'élever son troupeau s'est transformé en un cauchemar bureaucratique et législatif. L'adage, morbide, voulant qu'un agriculteur «vaut plus mort que vivant» n'est pas loin de la réalité. Qui d'entre nous aurait le courage de porter un tel poids sur ses épaules au quotidien? Bien peu.

Les entreprises agricoles doivent subir les diktats du marché, maintenant que nos gouvernements se sont soumis à leurs règles. Nous sommes devenus passifs par impuissance. Nous en sortir? Impossible. Tirer sur un fil viendrait détricoter l'ensemble de l'œuvre néolibérale. Le monde de la distribution alimentaire et les marchands mènent la valse, en s'appuyant sur des ententes internationales ratifiées par leurs valets politiques. À partir des années 1980, tout le monde s'est en effet prononcé en faveur de la libre circulation des biens et marchandises sur les marchés, sous prétexte de hausser le niveau de vie des populations. La réalité est pourtant tout autre: chaque entente internationale sur l'échange de biens alimentaires est venue asservir davantage le producteur agricole, au profit des intégrateurs et de capitaux qui se trouvent généralement à l'extérieur de son territoire. L'agriculteur est devenu un prolétaire soumis et en détresse.

Le manque de ressources humaines

En plus de cette réelle perte de contrôle sur son entreprise, l'agriculteur doit aussi faire face au défi de la pénurie de main-d'œuvre. Plusieurs raisons expliquent ce manque de travailleurs – elles ont maintes fois été expliquées : l'éloignement des grands centres, le vieillissement de la population rurale, l'exode des plus jeunes, le manque de relève au sein de la ferme familiale, la difficulté du travail, les écarts de salaires et la désertification des milieux de vie.

Actuellement, nos fermes canadiennes et québécoises accueillent chaque année des milliers de travailleurs étrangers temporaires, principalement en provenance du Mexique, du Guatemala, du Honduras et de la Jamaïque. Ce phénomène n'est pas nouveau ; depuis les années 1960, l'agriculture représente le principal secteur pour ce qui est de la main-d'œuvre étrangère reçue au Canada. Les ententes négociées par le gouvernement fédéral en la matière sont essentielles à la survie de plusieurs fermes de production laitière et maraîchère, qui dépendent désormais de cette main-d'œuvre venue d'ailleurs pour survivre[14]. Des données du ministère de l'Immigration, de l'Intégration et de la Francisation du Québec relèvent la nette progression de la main-d'œuvre étrangère dans le secteur agricole : son nombre est passé de 7 800 travailleurs en 2014 à près de 17 000 en 2019. C'est donc près du tiers de la main-d'œuvre agricole actuelle au Québec[15] qui est en régime *fly in-fly out* avec le pays d'origine[16]. Le phénomène n'est pas unique au Canada, il est présent dans tous les pays occidentaux.

---

14. Yan Zhang, Yuri Ostrovski et Amélie Arsenault, « Travailleurs étrangers du secteur de l'agriculture au Canada », Statistique Canada, 28 avril 2021.

15. Le Centre interuniversitaire de recherche en analyse des organisations (CIRANO) rapporte en novembre 2020 un total de 55 400 emplois dans le secteur agricole au Québec.

16. « L'immigration temporaire au Québec 2014-2019 », ministère de l'Immigration, de la Francisation et de l'Intégration du Québec, p. 9.

Ce modèle d'organisation agricole – digne des grands chantiers de la Baie-James des années 1970 – comporte plusieurs inconvénients, les plus graves étant l'incertitude et l'instabilité. Chaque année, l'agriculteur doit se charger du renouvellement des permis de sa main-d'œuvre. C'est tout un défi de se retrouver dans les différents dédales administratifs qu'entraînent la reddition de compte et la prise en charge des travailleurs. Contractuellement, l'employeur est en effet responsable de ses employés[17].

Ce modèle atypique – pour ne pas dire anormal, au XXIᵉ siècle – a l'inconvénient de dégager une odeur nauséabonde de «plantation 2.0» dans notre ruralité. Cela s'incarne dans le spectacle désolant des roulottes et des maisons mobiles érigées à proximité des installations agricoles, ou encore dans ces immeubles dortoirs qui rappellent les camps d'immigrants autour des mines dans l'Ouest canadien, aux siècles derniers. Bien sûr, on ne peut pas parler d'un esclavagisme comparable à celui qui a existé au XIXᵉ siècle dans les champs de coton du sud des États-Unis. Cependant, le modèle agricole actuel met en évidence la triste réalité de notre siècle, où semblent coexister deux catégories d'humains au sein d'un pays riche qui refuse d'assumer sa propre production alimentaire. Vu de l'extérieur, c'est extrêmement gênant.

Ce système de «courtage humain» n'est pas aussi «glamour» que celui des chasseurs de têtes qui repèrent un candidat potentiel pour diriger une grande entreprise. Non, tout ce que l'on cherche, ici, ce sont des corps humains capables d'effectuer un travail éreintant et abrutissant. Ce qui est en jeu, ce n'est pas l'embauche d'une personne qui, par son enracinement et son implication dans la communauté, est appelée à en devenir un membre «actif». Les «guats», comme on les surnomme malheureusement trop souvent dans la ruralité

---

17. «Contrat de travail pour l'embauche de travailleurs agricoles saisonniers du Mexique au Canada – 2021», Emploi et Développement Canada, Gouvernement du Canada, 15 janvier 2021.

québécoise, ne représentent qu'une main-d'œuvre temporaire et corvéable à merci.

En général, l'agriculteur aura recours à des agences de recrutement comme FERME – la Fondation des entreprises en recrutement de main-d'œuvre agricole étrangère a été mise sur pied en 1989 pour pallier les problèmes endémiques de main-d'œuvre du secteur agricole. Moyennant des frais de courtage[18], FERME prend en charge tout le processus administratif et veille à l'arrivée du travailleur étranger au pays. La procédure complète peut s'étaler sur environ neuf mois. Bien que le Québec exige le français comme langue commune de travail, il n'est plus nécessaire de parler ou de comprendre le français pour œuvrer dans le secteur agricole. D'ailleurs, environ 80 % des travailleurs étrangers ne parlent pas français et très peu s'expriment en anglais[19]. Quelle hypocrite ironie ! Soudainement, la question de la langue commune de travail est devenue secondaire. Peu à peu, nos rangs se peuplent de citoyens de seconde zone, qui ne bénéficient pas des droits rattachés à la citoyenneté.

Mais si un jour, l'un des principaux pays fournisseurs de main-d'œuvre prenait la décision de fermer ses frontières, qu'adviendrait-il des milliers d'entreprises agricoles de chez nous qui dépendent de ce type d'employés ? La pandémie de COVID-19 a mis en relief de façon éclatante notre dépendance envers des pays tiers et la question de la stabilité politique est un réel enjeu pour le milieu agricole.

Ne serait-il pas temps de revoir nos politiques en matière de main-d'œuvre agricole afin de favoriser un parcours accéléré vers la citoyenneté pour les travailleurs étrangers ? De façon générale, les ententes internationales que le Canada a signées afin de pourvoir à ses besoins de main-d'œuvre tem-

18. Le demandeur doit assumer tous les frais de courtage, d'administration, de transport et de logement liés à la personne étrangère. L'ensemble des frais liés à l'arrivée à la ferme d'un seul travailleur peut s'élever à 2 000 $.

19. « L'immigration temporaire au Québec 2014-2019 », *op. cit.*, p. 10.

poraire stipulent que le séjour du travailleur étranger en sol canadien ne doit pas excéder une période de huit mois. Sur les milliers de travailleurs étrangers qui séjournent au Canada chaque année, seulement 14 % d'entre eux vont entreprendre les démarches pour obtenir la résidence permanente. Or, comme le souligne une étude de Statistique Canada :

> La possibilité pour les résidents temporaires de devenir des résidents permanents et, en fin de compte, des citoyens canadiens est considérée comme un puissant facteur d'attraction pour les travailleurs potentiels. Les voies de transition vers le statut de résident permanent sont également à l'avant-plan du débat public sur les travailleurs étrangers occupant des emplois peu spécialisés ou peu rémunérés au Canada et, plus précisément, dans les industries qui comptent de plus en plus sur les travailleurs étrangers pour combler les pénuries de main-d'œuvre à long terme[20].

La rareté des ressources humaines en agriculture est comme une hypothèque de premier rang que traîne la ruralité depuis des décennies. Cette situation pèse lourd sur l'occupation du territoire puisqu'elle décourage la poursuite d'activités économiques et contribue à la dévitalisation du milieu. Nos gouvernements consacrent beaucoup d'efforts et de ressources financières à attirer une immigration spécialisée, riche et créatrice d'emplois. Mais il s'agit plus souvent qu'autrement d'une immigration qui répond aux besoins des grands centres urbains, pas à ceux de la ruralité. Un travailleur étranger à bas salaire ne semble pas être un créateur de richesse suffisant pour que l'on mette de l'avant un programme d'établissement permanent au Canada qui permettrait de repeupler nos rangs. Nous préférons le modèle des jobs à 40 $ de l'heure, comme le soulignait François Legault en 2015, alors qu'il était dans l'opposition :

---

20. Zhang, Ostrovski et Arsenault, « Travailleurs étrangers du secteur de l'agriculture au Canada », *op. cit.*

Le Québec a créé 70 000 emplois sous le gouvernement libéral, mais ce sont des emplois à 10 $ et à 15 $ de l'heure. Ce n'est pas ça qu'on veut. Il faut créer des emplois à 20 $, 30 $ et 40 $ de l'heure, des emplois de qualité[21].

Quel producteur agricole a les moyens d'offrir des emplois de qualité ? Et pourquoi l'Union des producteurs agricoles (UPA) n'a-t-elle jamais réclamé l'instauration d'un parcours accéléré vers la citoyenneté pour la main-d'œuvre temporaire ? Accorder la citoyenneté à un travailleur étranger, c'est lui permettre de quitter son emploi dans l'espoir d'en trouver un meilleur. Actuellement, le gros de la main-d'œuvre qui assure notre production alimentaire est captive. Volontairement, me direz-vous, mais captive quand même. Tel est notre modèle d'affaires.

Les aléas de la mondialisation des marchés

Outre les dérèglements climatiques et la pénurie chronique de main-d'œuvre, l'agriculture pratiquée dans nos rangs doit aussi affronter les aléas de la situation internationale. Avec la mondialisation des marchés, une sécheresse en Asie ou dans le Midwest américain peut affecter directement les revenus d'une production de grains dans le canton voisin. Un exemple : la Chine souhaite atteindre l'autosuffisance en matière de production porcine d'ici 2025[22]. Quel sera l'effet de cette nouvelle politique dans nos rangs québécois, sachant que la valeur des exportations de porcs québécois a totalisé 1,8 milliard de dollars en 2020 et que la Chine représente son troisième marché en importance, après le Japon et les États-Unis[23] ? Le porc québécois congelé occupe le deuxième rang dans les marchés

---

21. Ian Bussières, « Legault veut des emplois payants », *Le Soleil*, 9 juillet 2012.
22. « China wants to rely almost entirely on pork produced at home », *Bloomberg News*, 28 septembre 2020.
23. « Une analyse des problèmes récents auxquels est confrontée l'industrie porcine canadienne », Statistiques Canada, 31 août 2020.

d'alimentation de Chine. Si le pays atteint son objectif d'auto-suffisance d'ici 2025, ce sera une perte brutale pour les producteurs porcins d'ici. Comme le souligne une circulaire du ministère de l'Agriculture :

> La conjoncture des importations de viande porcine par la Chine s'inscrit dans un contexte de marché international qui demeure, par ailleurs, fortement empreint de risque et de volatilité. À cet égard, on doit souligner la menace que constitue la COVID-19 sur la chaîne d'approvisionnement, en particulier dans les usines d'abattage, au Québec comme ailleurs dans le monde. [...]
>
> En matière de menace, la peste porcine africaine n'est pas en reste. Bien qu'elle soit particulièrement présente en Asie, cette maladie tient sur un pied de guerre l'industrie et les autorités de l'Amérique du Nord et de l'Europe. La découverte récente de plusieurs dizaines de cas parmi des sangliers sauvages, dans l'est de l'Allemagne, en est un rappel concret[24].

Le porc n'est qu'un exemple parmi tant d'autres. L'intégration des marchés internationaux et la fragilité des diverses chaînes de production et de transformation disséminées aux quatre coins du globe fragilisent grandement la ruralité. L'agriculture et les ressources naturelles ne peuvent plus à elles seules assurer l'occupation effective du territoire. Le modèle est épuisé.

Certains voient dans l'agriculture hors champ, produite en usine et robotisée, un élément de solution pouvant ralentir la détérioration de notre environnement. La technologie risque toutefois de détruire le peu qu'il restera de nous, faisant de la ruralité un désert de plus en plus grand.

---

24. Yvon Boudreau, « Les importations de viande porcine par la Chine : le point culminant en 2020 ? », *BioClips Actualité Bioalimentaire*, vol. 28, n° 22, 10 novembre 2020.

6

L'agriculture du futur

Dans 20 ans, nous serons à l'aube de l'an 2050 – une année de référence pour le Groupe d'experts intergouvernemental sur l'évolution du climat (GIEC)[1]. Nous savons d'ores et déjà que, d'ici cette date butoir, il nous sera impossible d'atteindre les cibles minimales de réduction de gaz à effet de serre pour ralentir le réchauffement planétaire à moins de 2 degrés Celsius. Malgré toutes les lumières allumées sur le tableau de bord depuis des années, nous refusons collectivement de mettre fin à nos pratiques destructrices de l'environnement. Nous ne pouvons que constater notre incapacité à changer radicalement notre mode de vie, basé principalement sur la consommation. Les petits changements d'habitude que nous tentons d'adopter ici et là pour nous donner bonne conscience ne suffisent pas à freiner l'inévitable. Nous continuons à voguer de campagnes électorales en programmes politiques, de sommets en grenelles, de marches pour le climat en plans de décarbonisation...

Or, le temps presse et il n'y a plus de place pour la procrastination. Où en sommes-nous avec la décroissance tant attendue? Je parle ici d'une réelle décroissance: celle où nous diminuons volontairement notre consommation. Parce qu'au cœur du débat sur l'avenir de l'humanité, il y aura nécessairement un enjeu de décroissance, même si personne ne veut

---

1. Alexandre Shields, «La fenêtre d'un avenir "viable" se referme, prévient le GIEC», *Le Devoir*, 1er mars 2022.

en entendre parler. Nous, les pays riches, aimons prendre la parole sur l'environnement et nous inquiéter pour les générations futures. Nous avons le luxe de tenir un tel débat dans nos habits fraîchement pressés. Mais qu'en est-il de la Chine qui aspire au développement de la classe moyenne ? De l'Inde – la plus grande démocratie du monde ! – qui ne jure que par la croissance et le capitalisme ? Est-ce que les nouvelles technologies nous permettront de sauver notre planète ? Nourrir 10 milliards d'êtres humains en 2050 en continuant à fonctionner dans nos paradigmes actuels, c'est un monde apocalyptique que personne ne veut entrevoir.

Qui aura le courage et l'audace de n'avoir pour unique programme politique qu'un changement radical de notre mode de vie ? Il ne s'agit pas de porter au pouvoir un parti fédéraliste ou souverainiste, un parti de gauche ou de droite, mais bien un parti disposé à s'engager dans la refonte complète de notre mode de vie individuel et collectif. Un parti qui oserait nous dire candidement : « Les efforts que nous faisons actuellement n'auront de résultats probants que dans 50 ans ! » Ici, on parle bel et bien de renverser l'ordre établi. Mais personne n'est prêt à voter pour un parti politique qui viendrait chambouler nos habitudes de vie personnelles. Sortir et aller marcher pour l'environnement ? Oui. Imposer quelques normes environnementales aux industries ? Oui. Promouvoir l'auto électrique ? Absolument ! Changer de iPhone seulement tous les six ans ? HUM… Impossible. Renoncer à mes voyages ? Non, pas question. Diminuer ma garde-robe et mes sorties au restaurant ? Jamais !

La consommation… Nous vivons constamment dans l'urgence de consommer. Faire la révolution pour le climat tout seul dans son coin, ça ne donne rien… sauf une bonne conscience. L'urgence planétaire doit mobiliser l'ensemble de l'humanité. C'est loin d'être le cas.

L'inévitable transition écologique

Se projeter sur le territoire rural du Québec et du Canada en 2050 peut être un exercice de prospective assez surréaliste. Non pas parce que le territoire rural du futur sera nécessairement invivable, mais parce qu'il risque de connaître des bouleversements très profonds, parsemés de crises sociales. Dit autrement : la transition ne se fera pas sans heurt.

À titre d'exemple, le débat soulevé par les effets néfastes de l'agriculture conventionnelle sur l'environnement vient directement affecter notre façon d'occuper le territoire et la vie de ceux et celles qui y sont installés depuis des générations. La société civile, majoritairement composée de non-ruraux, exige des changements. D'un point de vue sociologique, il semble impossible de demander à une seule génération de producteurs agricoles ayant respecté les règles du contrat social de payer pour 4 000 années d'exploitation de la planète. Dans la transition à venir, celle qui semble inévitable, gardons-nous de creuser davantage le fossé qui existe déjà entre la ruralité et le pouvoir des dirigeants issus de la ville. Provoquer une collision frontale en braquant le monde rural et agricole ne fera que desservir la cause que l'on voudrait défendre. Cette conversation est devenue nécessaire, mais il s'agit d'une opération délicate, puisqu'elle vient remettre en cause les fondements de notre mode de vie rural.

Tous les partis politiques soulignent l'importance d'entamer la transition écologique. On nous vend l'idéal d'un Québec vert et biologique. Pourtant, aucun programme n'ose chiffrer les coûts de cette transition, ni préciser les échéanciers pour y arriver. Qui devra payer pour réformer rapidement notre modèle agricole ? Comment gagner la bataille contre l'intégration des marchés alimentaires de la planète et la concurrence avec des pays qui sont à des années-lumières de nos normes en matière de bien-être animal et d'environnement ? Le commerce international n'est malheureusement pas cet orchestre où tous les musiciens jouent au même diapason.

Il s'agit plutôt d'une métastase dont nos politiques internes peinent à contrer les effets dévastateurs.

Nous l'oublions souvent dans notre réflexion environnementale, mais le Canada et le Québec sont des terres d'exportation agricole. Une partie importante de notre territoire sert à alimenter des pays étrangers. Chaque aliment que nous consommons voyage en moyenne 2 400 kilomètres avant de se rendre dans notre assiette. Notre ruralité participe à ce circuit d'exportations et d'importations. Sommes-nous prêts à nous retirer de cette valse au nom de l'avenir de la planète? Est-ce que l'agriculture en émergence, principalement active dans les circuits courts, pourra prendre la relève sans un soutien financier accru de la part de l'État et de la collectivité? Qui paiera la facture?

Nos dirigeants n'offrent pas de réponses à ces questions. Pourtant, nous les connaissons déjà. Mais nous ne voulons pas les envisager, parce qu'elles font mal socialement. Nous savons qu'il y aura des drames humains et des coûts financiers importants.

Automatisation des récoltes et traitement robotisé des cultures

En réponse aux problèmes grandissants de main-d'œuvre, le monde agricole se tourne de plus en plus vers l'automatisation des récoltes et le traitement robotisé des cultures. De nos jours, il n'est pas rare de voir des tracteurs dirigés à distance par GPS et antennes de relais, sans aucun conducteur. Il est également possible de traiter les maladies aux champs à l'aide de drones et à coups d'analyses des ondes thermiques, ce qui permet aux producteurs agricoles de réaliser par ailleurs des économies en pesticides. Même la récolte aux champs peut se faire de façon automatisée, 24 heures sur 24, sans aucune intervention humaine.

En fait, nous sommes actuellement en pleine transition vers une robotisation de l'agriculture, et ce, à toutes les étapes de la production. Terminé le temps de ma jeunesse où l'on courait en arrière d'une combine[2] avec une manne de bois en plein milieu du champ afin de récolter les carottes! Lorsqu'on interroge les chercheurs et les producteurs, le discours est unanime : si on veut augmenter la production alimentaire et nourrir la planète dans les 20 prochaines années, il faudra réduire au maximum la main-d'œuvre et passer le plus rapidement possible à la robotisation et à l'automatisation des procédés.

Il ne faut pas sous-estimer les conséquences de cette évolution technologique sur la ruralité. D'ici dix ans, nous serons à même de constater ses effets dévastateurs sur l'occupation du territoire, avec la disparition de bon nombre de fermes familiales dans l'intégration et la consolidation d'entreprises toujours plus grosses. Les coûts de la robotisation et de l'automatisation sont astronomiques, et l'endettement actuel des fermes québécoises est important. Qui aura les moyens de se payer cette technologie alors que la ferme moyenne au Québec – d'une valeur d'environ 3 millions de dollars en actifs – est aussi celle qui présente un des plus hauts taux d'endettement de l'industrie canadienne[3] ?

Dans une entrevue accordée à Radio-Canada en juillet 2021, le producteur laitier Louis Taillon, de la ferme du Clan Goulet, à Saint-Augustin, exposait les raisons qui l'ont poussé à acquérir un robot pour la traite de ses 400 vaches :

> Je n'ai pas d'objectif pour être millionnaire. Un cultivateur, c'est tout le temps millionnaire de dettes. Si tu veux suivre la *game* et avancer, il faut tout le temps que tu développes. C'est un peu comme dans n'importe quelle industrie[4].

---

2. Équipement agricole mécanisé pour la récolte de certains légumes.

3. Selon le ministère de l'Agriculture, des Pêcheries et de l'Alimentation (MAPAQ), le taux d'endettement de la ferme moyenne au Québec est de l'ordre de 29 % (ratio passif en fonction de l'actif). Voir Yvon Boudreau, «Une ferme vaut en moyenne 3 millions de dollars au Québec», *BioClips Actualité Bioalimentaire*, vol. 29, n° 17, 18 mai 2021, p.1.

4. Romy Boutin St-Pierre, «Robotisation des fermes : deux agriculteurs, deux visions», *Radio-Canada.ca*, 17 juillet 2021.

Cette course vers la robotisation et l'automatisation des procédés en agriculture est dorénavant inévitable. Seules les entreprises ayant accès au capital et à l'endettement pourront survivre. Les autres sont condamnées à disparaître à plus ou moins brève échéance.

Le défi de nourrir la planète

Et s'il était trop tard pour 2050 ? Pourquoi ne pas entamer tout de suite la discussion sur la transition vers une agriculture hors champ ? Et vers des élevages sans animaux ? Oui, il faudra conserver la paysannerie, car celle-ci représente à la fois les origines, le patrimoine, le savoir-faire et la mémoire de notre agriculture. La paysannerie d'aujourd'hui, par sa pratique d'une agriculture plus respectueuse de la terre et son réseau de fermes de proximité, est le rempart de notre garde-manger collectif. Il faut soutenir ce modèle souvent composé d'une relève jeune et dynamique qui est en train de repeupler notre territoire. L'agriculture industrielle a ses marchés, mais il y a aussi une place pour l'agriculture paysanne. Sera-t-elle davantage liée à une classe moyenne plus aisée financièrement qui peut s'offrir des produits de proximité dans le cadre d'une relation privilégiée avec la personne productrice ? Sans aucun doute. De cette façon, nous conserverons le savoir-faire et le caractère humain de l'agriculture qui a jadis été pratiquée sur notre territoire.

Nourrir la planète est un défi d'une autre taille. Dans la mesure où la sécurité alimentaire de la planète demeure fragile, il faut absolument transformer l'agriculture conventionnelle et la mettre au service de la population mondiale, qui est appelée à croître sans cesse. Continuer à produire des aliments sans changer de modèle d'agriculture va devenir impossible. Qu'on le veuille ou non.

Les fermes verticales et la production « organique »

Et si l'agriculture conventionnelle aux champs devenait obsolète? Le concept de «ferme verticale», ou «farm factories» à l'américaine, pourrait très bien devenir la planche de salut de l'autonomie alimentaire pour un grand nombre de centres urbains. Les Fermes Lufa, qui installent des serres sur les toits de la région métropolitaine de Montréal, s'inscrivent déjà dans ce créneau d'avenir qui pourrait réussir à assurer une autosuffisance en légumes à la métropole d'ici 10 ans. Aux États-Unis, la croissance du secteur de l'alimentation dite «organique[5]» produite dans des «farm factories» fait également foi de cette tendance qui prend de l'ampleur. Par exemple, la ferme-usine Bowery Farming, dans la région de New York, produit hebdomadairement 80 000 tonnes de légumes, et ce, à longueur d'année, peu importe les conditions climatiques et la disponibilité de la main-d'œuvre. Même si ses coûts demeurent encore élevés et qu'elle reste tributaire de fournisseurs étrangers pour certains équipements, cette nouvelle agriculture industrielle démontre clairement que la technologie peut nous aider à réduire notre empreinte environnementale[6].

Dans de telles circonstances, la certification biologique n'a plus la même valeur – même si, de nos jours, il est de bon aloi de faire la promotion de l'agriculture biologique. Plusieurs ont d'ailleurs érigé cette pratique en dogme, ce qui a divisé la ruralité en deux clans. Les porte-parole du monde urbain que l'on peut voir, lire et entendre dans les médias métropolitains semblent affectionner particulièrement les produits

---

5. L'agriculture organique n'est pas nécessairement synonyme d'agriculture biologique. Il s'agit d'un système de production agricole qui contrôle les quantités d'intrants (pesticides, engrais) dans le but de limiter son impact sur l'environnement. La pratique de l'agriculture organique, qu'on appelle aussi «agriculture raisonnée», en France, n'est donc pas aussi stricte sur le plan environnemental que celle qui détient une certification biologique.

6. Bill Saporito , «Meet the urban farmers shaping the future of the 5 trillion $ agriculture industry», *INC Magazine*, octobre 2021.

Vue de l'extérieur et de l'intérieur de la ferme-usine Bowery Farm,
à la périphérie de Baltimore, au Maryland. *Source*: *Washingtonian*,
12 octobre 2020, <www.washingtonian.com/2020/10/12/how-an-indoor-
farm-is-redefining-local/>.

issus de l'agriculture biologique, mais ils connaissent peu le monde agricole et l'industrie alimentaire en général. Bien que l'idéal soit noble, je crois pour ma part que la transformation complète de l'agriculture conventionnelle en agriculture biologique relève de l'utopie. Les coûts d'une telle transition, combinés aux impératifs des marchés dans lesquels évolue le Québec, ne permettent pas d'entrevoir des résultats probants à moyen terme. Même avec une robotisation complète de la production et des récoltes, l'objectif demeurerait mathématiquement impossible à atteindre.

L'enjeu de la surpopulation

Le constat est le même depuis 10 ans : la population mondiale s'élèvera à près de 10 milliards d'êtres humains en 2050. Or, personne n'ose parler de cet enjeu majeur durant les campagnes électorales. Pour nous, au Québec, cette question ne nous semble pas importante – on considère (à tort) que le problème concerne seulement les pays du Sud. Nos gouvernements s'engagent même tête baissée dans des politiques familiales qui encouragent la natalité[7].

À mon sens, la seule et unique façon de s'assurer que la planète puisse continuer à nous nourrir toutes et tous d'ici 2050, c'est de sortir l'agriculture de la terre et d'abandonner l'élevage industriel au profit de l'agriculture cellulaire. Non, l'idée n'est pas tirée d'un scénario de film de science-fiction ! La production de viande cellulaire bat son plein un peu partout sur la planète, y compris au Canada. On prévoit que d'ici 10 ans, cette viande née de cellules souches et confectionnée en usine deviendra un produit de consommation de masse, réduisant

---

7. Avons-nous le choix, considérant que l'indice synthétique de fécondité du Québec est seulement de 1,52 en 2020, soit bien en dessous du seuil nécessaire pour assurer le strict maintien de la population ? Cependant, il est légitime de s'interroger sur la pérennité de nos programmes sociaux dans un contexte où la population est vieillissante et où le fardeau financier collectif s'alourdit.

considérablement les effets néfastes de l'élevage tel que nous le pratiquons actuellement. Cette technique ne se limite plus à la viande et inclut désormais des produits végétaux, comme les fleurs de coton que l'on peut maintenant produire en laboratoire sur une période de 15 jours au lieu de 120 jours au champ. Ces solutions peuvent sembler draconiennes, je le sais, mais pouvons-nous ignorer une telle éventualité à l'heure actuelle ? Je ne le crois pas.

Encore récemment, un comité des Nations unies pour l'environnement a souligné l'importance de revoir nos pratiques en agriculture conventionnelle. Sans compter que, chaque année, la planète se prive de 1,3 milliard de tonnes de denrées alimentaires en raison du gaspillage[8]. Au Canada, on évalue que le gaspillage alimentaire domestique s'élève à 79 kg par personne par année, soit 20 kg de plus que la moyenne américaine[9]! Lutter efficacement contre le gaspillage alimentaire fait très certainement partie des solutions environnementales à privilégier. Le seul obstacle à cette solution est le manque de volonté politique. Qui imposera le changement dans les écuries d'Augias ?

---

8. « How to feed 10 billion people », Programme des Nations unies pour l'environnement, 13 juillet 2020.

9. « Les Canadiens, chefs de file du gaspillage alimentaire », *Radio-Canada.ca*, 4 mars 2021.

7

Le colon 2.0

La notion d'occupation du territoire est née d'un contrat social établi tacitement au fil du temps entre l'autorité gouvernementale et la ruralité. Il ne s'agit pas d'un régime d'assistance sociale en faveur de la ruralité, mais plutôt d'une sorte de compensation pour ce qui lui est dû : le milieu de vie rural doit être comparable à celui des urbains. Pas identique, non, mais certainement équivalent. Or, les mesures à prendre pour parvenir à cet idéal collectif ont un prix. Sommes-nous prêts à le payer ? Dans le cas contraire, pouvons-nous tolérer l'existence de deux Québec au sein d'une même province ? Un Québec qui vibre au dynamisme de la *hightech* du XXIe siècle et un Québec en proie à la pauvreté et au déclin démographique ?

Plusieurs solutions sont régulièrement mises de l'avant pour revitaliser le territoire. Mais s'il en est une qui demeure urgente et nécessaire, c'est bien celle qui permettra le renouvellement de son capital humain. On ne parle pas ici de la ruralité de proximité, près des grands centres urbains et de plus en plus gentrifiée, mais plutôt de la ruralité « vraiment rurale », celle qui demeure éloignée et où les indices de vitalité socioéconomique stagnent sous zéro d'année en année[1].

---

1. Pour l'Institut de la statistique du Québec, « l'indice de vitalité économique des territoires représente la moyenne géométrique des variables normalisées de trois indicateurs, à savoir le taux de travailleurs, le revenu total médian des particuliers et le taux d'accroissement annuel moyen de la population sur cinq ans. Ces indicateurs représentent chacun une dimen-

L'effet COVID

Comment repeupler ces communautés dévitalisées? Avant même d'aborder cette problématique fondamentale, qui perdure depuis des décennies, il faut souligner l'effet bénéfique de la crise sanitaire sur la démographie rurale. Depuis le début de la pandémie de COVID-19, en 2020, on observe en effet un retour des urbains vers la ruralité un peu partout en Europe et en Amérique du Nord, que ce soit pour s'y établir de façon temporaire ou permanente. Le télétravail, imposé par les règles sanitaires strictes durant les confinements successifs, a permis à la ruralité de faire le plein de nouveaux résidents. Pour l'instant, le phénomène est relativement anecdotique, mais il est observé de près un peu partout. Le journaliste et historien français Benoît Bréville constate d'ailleurs une renaissance complète et fulgurante du thème de la ruralité dans les médias:

> En quelques mois, les représentations de la géographie sociale française se sont inversées. Quand, avant la pandémie, les journalistes s'intéressaient au sort des régions ou de la « campagne », c'était généralement en des termes misérabilistes, pour évoquer les « gilets jaunes », le vote Rassemblement national, la pénurie d'emplois, la fermeture des petits commerces, la disparition des gares, le prix du carburant, la monotonie des zones pavillonnaires, l'absence de services publics, la rareté des transports collectifs... Ces problèmes ont disparu des médias: tout ce qui sort des grandes villes paraît à présent se résumer à une maison bucolique avec jardin. À l'inverse, les métropoles, qui il y a un an, n'étaient que créativité, innovation et intelligence, apparaissent essentiellement comme des repoussoirs[2].

---

sion essentielle de la vitalité, soit respectivement le marché du travail, le niveau de vie et la dynamique démographique. »

2. Benoît Bréville, « Des métropoles privées de leurs attraits par le Covid-19. La revanche des campagnes », *Le Monde diplomatique*, décembre 2020, p. 17.

Au Québec, ce sont les données démographiques des régions publiées au début de 2022 par l'Institut de la statistique qui ont révélé au grand jour le phénomène. Évidemment, ce sont les régions les plus proches des grands centres urbains qui ont connu la croissance démographique la plus marquée, en particulier dans les municipalités de Saint-Hippolyte, Bromont, Chelsea, Saint-Lin-des-Laurentides et Contrecœur[3]. Ce palmarès ne fait qu'illustrer l'étalement urbain au détriment de la ruralité. Mais la Gaspésie a également enregistré un bond démographique « spectaculaire », comme le souligne cet article paru dans *Le Soleil* en janvier 2022 :

> Selon le bilan de l'Institut de la statistique du Québec (ISQ) dévoilé jeudi, la région bucolique figure parmi les grandes gagnantes des déplacements de la population de l'année 2020-2021, premier bilan entièrement pandémique[4].

Dans le milieu gaspésien, on a qualifié cette nouvelle d'« époustouflante ». Mais qu'en est-il réellement ? Il est vrai que le bilan migratoire interrégional net de la Gaspésie s'est enrichi de 1 378 nouveaux citoyens en 2020-2021. Pendant la même période, la population totale de la région s'est même accrue de 1 351 personnes. Or, malgré cette timide progression, la Gaspésie est toujours aussi vieillissante et âgée. Elle compte la plus importante proportion d'aînés (environ 28 % de la population) et la plus petite proportion de jeunes (environ 16 %)[5]. Cette région peine à se renouveler et poursuit sa lente dévitalisation. Selon un bulletin d'analyse de l'Institut de la statistique, plus de 70 % des municipalités de la Gaspésie se classent dans le dernier quintile (5e sur 5) des municipalités les plus pauvres

3. Ariane Krol et Pierre-André Normandin, « La pandémie donne la bougeotte ! », *La Presse*, 14 janvier 2022.

4. Simon Carmichael, « Bilan migratoire : la Gaspésie charme un nombre record de Québécois », *Le Soleil*, 13 janvier 2022.

5. « Panorama des régions du Québec – Édition 2020 », Institut de la statistique du Québec, p. 15.

du Québec sur le plan socioéconomique[6]. Dans ce contexte, comment peut-on prétendre à la pérennité des communautés gaspésiennes sans faire preuve de jovialisme?

La mixité sociale

Avant même de penser à un repeuplement, les communautés rurales dévitalisées doivent s'assurer de posséder une infrastructure de communication électronique équivalente à celle des grandes villes. En l'absence d'un réseau internet performant, les efforts de revitalisation seront inexorablement ralentis. Au moment d'écrire ces lignes, un tel réseau d'aqueduc électronique du savoir n'existe toujours pas. Même si les gouvernements se succèdent en promettant à chaque fois de brancher les régions, il faudra attendre encore une bonne dizaine d'années avant que les infrastructures promises procurent une vitesse acceptable de transmission des données dans les régions les plus dévitalisées.

Cette situation maintes fois décriée n'est pas propre au Québec. On la retrouve aussi dans les ruralités canadienne et américaine. C'est un exemple parmi tant d'autres du retard de la ruralité en matière d'infrastructures et de services. Sans un réseau internet performant, le maintien d'une population et d'entreprises au sein des communautés rurales est difficilement envisageable.

Le colon 2.0 n'est plus recherché en fonction des besoins de l'économie locale ou d'une industrie présente. Il ne s'ancre plus dans le territoire par l'intermédiaire de l'agriculture

---

6. «70,2 % de celles de la Gaspésie – Îles-de-la-Madeleine se classent dans le cinquième quintile. D'ailleurs, cette dernière région est la seule où l'on ne trouve aucune localité se classant dans le premier quintile en 2018. Dans la région de la Gaspésie – Îles-de-la-Madeleine, la localité qui affiche les meilleurs résultats sur le plan de la vitalité économique en 2018 est Maria, laquelle se classe dans le troisième quintile.» Voir le «Bulletin d'analyse – Indices de vitalité économique des territoires – Édition 2021», Institut de la Statistique du Québec, p. 4.

ou de l'exploitation d'une ressource naturelle, comme par le passé. Le colon 2.0 émigre par choix personnel, afin d'occuper le territoire, tout simplement. Il transporte avec lui tout ce qu'il est, son identité, son travail, son engagement... Comme il le raconte dans la série documentaire *Ramaillages*, Yann Levasseur a quitté Montréal en 2009 pour s'installer en Gaspésie et participer à l'établissement de la communauté d'intention «Le Manoir» à Paspébiac:

> En 2009, j'étais à Montréal. Ça se passait assez bien quand même. J'étais assez militant. En vélo. Je travaillais à l'université comme chargé de cours. Mes amis commençaient à s'installer, acheter des blocs appartements et des condos, et avoir des familles, à Montréal. Puis, moi, je me suis rendu compte que c'était un peu un moment critique. Si je faisais comme eux, j'aurais de la misère à partir plus tard. Ça fait que, sentant que j'aurais probablement des regrets, j'ai décidé de partir[7].

L'évolution de la ruralité vers davantage de mixité sociale sera un passage obligé. Si les communautés rurales ne veulent pas être condamnées à la stagnation et au déclin, elles doivent parvenir à attirer des gens de toutes les origines. Bien que nécessaire, cette transition ne sera pas toujours facile: accepter cette mixité sociale, c'est aussi accepter de se remettre en question et faire des concessions sur son mode de vie.

L'arrivée des néoruraux ne se fait pas toujours sans frictions sociales. Le documentariste Gilles Blais l'a bien démontré dans *Les illusions tranquilles*, en 1984. Le film, qui porte sur les élections municipales du Bic, dans le Bas-du-Fleuve, présente deux visions qui s'affrontent: celle d'un jeune candidat issu de la Révolution tranquille, diplômé universitaire et politiquement à gauche, et celle d'un candidat du milieu local, commerçant et membre d'une importante famille de la municipalité. Sans grande surprise, le jeune maire sortant de gauche est battu à plate couture – son élection préalable avait été une erreur de

7. Moïse Marcoux-Chabot, *Ramaillages. Épisode 1: Territoires*, Office national du film, 2020.

parcours! Dehors les étrangers! Les gens du coin reprenaient le contrôle de leur patelin. Deux visions, deux mondes, deux générations... Le *clash* était inévitable, comme l'exprime un citoyen lors de la soirée électorale:

> Il reste que... un moment donné... le monde qui est en place, qui sont nés au Bic, je crois d'après moi que c'est eux autres qu'il faut qu'ils contrôlent la municipalité. Je suis né au Bic. Puis je ne voudrais pas qu'il nous arrive 90, 100, 200, 300 personnes au Bic, pis un moment donné que ce soient eux autres qui contrôlent le Bic[8].

Même s'il a près de 40 ans, le documentaire de Gilles Blais demeure d'actualité. Nous devons être conscients des défis que pose la transition vers une plus grande mixité sociale en territoire rural. Il ne s'agit pas simplement d'un choc entre la ville et la campagne ou d'un affrontement entre les générations. Cette tension sociale a aussi des racines dans le manque d'accès à l'instruction, l'isolement, la pauvreté et le racisme. Ce sont des facteurs que l'on ne peut pas ignorer lorsqu'on aborde la question de la ruralité.

La question du racisme

Le monde rural est-il plus raciste que le monde urbain? Il n'existe pas d'études scientifiques précisément sur ce sujet pour le Québec, mais on peut dire que la discrimination et le racisme y sont présents. Une étude fort intéressante de la sociologue Kate Cairns sur la jeunesse et la ruralité en Ontario démontre qu'il existe bel et bien une perception selon laquelle la ruralité canadienne, dans son ensemble, est raciste. Les urbains et les médias de la ville la considèrent souvent comme un endroit reculé, moins instruit et plus pauvre[9].

---

8. Gilles Blais, *Les illusions tranquilles*, Office national du film, 1984.

9. Kate Cairns, « Youth, dirt and the spatialization of subjectivity: an intersectional approach to white rural imaginaries », *Canadian Journal of Sociology*, vol. 38, n° 4, 2013, p. 640 : « Contrary to the romanticized vision

Dans une de ses chroniques au *Journal de Montréal*, Lise Ravary s'interroge sur l'appui des régions à la charte des valeurs proposée par le gouvernement péquiste de Pauline Marois, en 2014 :

> Et les appuis les plus forts se retrouvent en région. Est-il normal que quelqu'un qui habite à 500 km de Montréal ait le droit de décider qui les hôpitaux montréalais peuvent embaucher[10] ?

Est-ce que l'appui des ruraux au projet de charte des valeurs pose problème aux urbains ? Peu importe la réponse, le racisme représente un défi de tous les instants, que ce soit en ruralité ou dans le Québec tout entier. Dans un rapport sur cette question, les membres du Groupe d'action contre le racisme, composé d'élus de l'aile parlementaire caquiste, n'ont pas hésité à souligner l'importance d'éduquer la population sur les méfaits du racisme :

> Une telle sensibilisation semble s'imposer, pour mettre fin aux préjugés existant au sein d'une partie de la population, pour s'attaquer à certains comportements individuels, mais également pour limiter les maladresses et réduire l'ignorance. Au cours des dernières années, plusieurs ministères et organismes de l'État québécois ont réalisé des activités de communication destinées à faire prendre conscience de la réalité du racisme à l'occasion de certains événements particuliers.
>
> Le Groupe d'action constate cependant qu'à ce jour, aucune campagne de sensibilisation contre le racisme ne semble s'être adressée à l'ensemble de la population. Une campagne grand public sur le thème de la lutte contre le racisme serait donc une première. Le changement de comportement ou d'attitude

---

of Canada's colonial history, contemporary media representations construct rurality as a site of bigotry and ignorance characterized by a "backward" lifestyle that is contrasted with Canada's progressive city spaces. » Traduction libre : « Contrairement à la vision romantique de la période coloniale, les médias contemporains ont tendance à représenter la ruralité comme une société intolérante et sous-éduquée, caractérisée par un style de vie sous-développé contrastant avec le modernisme des villes. »

10. Lise Ravary, « La Charte reprend du service », *Journal de Montréal*, 20 mars 2014.

demande un travail de sensibilisation à long terme, et c'est dans cette optique qu'une campagne nationale de publicité représente une action concrète du gouvernement pour lutter contre le racisme[11].

Pourquoi proposer de mener une telle campagne de publicité si le racisme n'existe pas? Il suffit de replonger dans les débats sur l'implantation d'un cimetière musulman à Saint-Apollinaire, dans Lotbinière, pour réaliser à quel point le racisme existe en région. La polémique a eu lieu dans le cadre d'une consultation publique sur l'autorisation d'établir, dans une zone longeant l'autoroute, un cimetière devant desservir principalement la communauté musulmane de la région de Québec. Le maire Bernard Ouellet expliquait alors à Radio-Canada sa surprise devant un tel débordement d'émotions:

> Je pensais réellement que ça ne dérangerait personne. On était réellement de bonne foi. On en entendait parler depuis la fusillade à la mosquée, ça nous donnait l'opportunité d'être accueillants, je pense que c'est une belle occasion de montrer notre ouverture.
>
> La peur que ça attire, que les musulmans viennent s'installer ici, quelques citoyens ont dit qu'ils ne veulent pas ça. On n'est peut-être pas assez informés. On prend plus ce qui est mauvais que ce qui est bon des musulmans[12].

Le Devoir nous apprenait qu'une partie des opposants au projet de cimetière musulman étaient en fait des membres actifs du «clan local» de La Meute, un groupe d'extrême droite baignant dans la mouvance raciste, selon plusieurs experts[13].

---

11. Groupe d'action contre le racisme, «Le racisme au Québec. Tolérance zéro», Gouvernement du Québec, décembre 2020. Le Groupe était composé de trois ministres et de quatre députés de l'aile parlementaire de la Coalition Avenir Québec (CAQ).

12. Sophie Langlois, «Cimetière musulman à Saint-Apollinaire: que craignent les opposants?», Radio-Canada, 11 juillet 2017.

13. Isabelle Porter, «Cimetière musulman: le rôle de La Meute se précise», Le Devoir, 19 juillet 2017.

Qu'on se souvienne aussi de l'adoption du tristement célè-
bre « code de vie » de Hérouxville, une entité municipale d'à
peine 1 000 habitants de la région du Mékinac, en Mauricie.
En plein débat sur les accommodements raisonnables, les
élus locaux avaient adopté un code de conduite à l'intention
des immigrants désireux de s'établir sur leur territoire. Cette
nouvelle, annoncée au retour des Fêtes, en janvier 2007, avait
jeté un pavé dans la mare. Dans une entrevue invraisemblable
accordée au quotidien français *Libération*, le conseiller municipal qui avait parrainé le fameux code de vie s'exprimait en
ces termes :

> Bien sûr, nous avons voulu choquer en parlant de lapidation ou
> d'excision, mais il était temps que quelqu'un mette ses culottes
> et regarde plus loin que le bout de son nez. Si on s'adapte à tous
> les nouveaux immigrants, qu'adviendra-t-il de notre culture
> québécoise dans dix ou vingt ans[14] ?

Comme si l'immigrant en région devenait nécessairement
une menace à l'existence de notre mode de vie ! Pourtant, tous
les sociologues s'entendent pour dire que c'est davantage la
modernité qui a transformé la ruralité. Mais l'immigration ?
J'en doute.

Premières Nations : de l'occupation à la cohabitation

Le partage du territoire avec ses propriétaires originaux que
sont les Premières Nations mérite aussi un examen appro-
fondi. Plus de 30 ans après la crise d'Oka, le Québec ne semble
pas avoir encore complètement assimilé les conclusions du
rapport de la Commission Gilbert[15]. Comment partager le
territoire rural avec ceux qui nous ont précédés ?

---

14. Emmanuelle Langlois, « La croisade xénophobe d'un village québécois », *Libération*, 16 février 2007.
15. *Rapport d'enquête du coroner Me Guy Gilbert sur les causes et
circonstances du décès de Monsieur Marcel Lemay*, Bureau du coroner,
Gouvernement du Québec, 1995.

Des incidents récents nous démontrent une fois de plus la difficile cohabitation avec les Premières Nations, toujours teintée de préjugés coloniaux et raciaux. Par exemple, citons l'adoption en rafales de cinq résolutions, lors de la séance municipale du canton de Dundee, en Montérégie Ouest, en novembre 2020, pour demander l'assistance de la Sûreté du Québec et de la Gendarmerie royale du Canada à propos d'une histoire de construction sans permis sur un territoire revendiqué par les Kanyen'kehà:ka (Mohawks). Cette position rigide entre en contradiction avec l'une des recommandations phares du coroner Gilbert selon laquelle il faut « privilégier la négociation comme mode de résolution des conflits en milieu autochtone[16] ». Le texte de la résolution 2020-11-19 du canton de Dundee remercie le ministre délégué aux Affaires autochtones en des termes hyperboliques pour son intervention envers les Kanyen'kehà:ka du territoire de Tsi:karístisere (Akwesasne), qualifiant de « crise autochtone » une simple affaire de construction sans permis. En voici le préambule :

> Considérant que le canton de Dundee se retrouve à gérer une flambée de revendications autochtones se traduisant par l'occupation de facto d'une partie de son territoire ;
> Considérant l'aspect totalement inattendu de cette même occupation autochtone ;
> Considérant que ladite crise autochtone constitue une source réelle de stress et d'angoisse pour les citoyens du canton, principalement ceux qui résident le long de la Pointe Hopkins ;
> Considérant les ressources limitées dont dispose le canton afin de faire face à une perturbation d'une telle amplitude, ainsi que les inévitables demandes qui en résultent ;
> Considérant que le ministre a par la suite apporté son aide au canton de Dundee afin de mettre en œuvre une solution pacifique et mutuellement profitable.
> Considérant que le canton de Dundee est reconnaissant envers le ministre à cet égard...

---

16. *Ibid.*

Du point de vue historique, la saga du canton de Dundee avec la communauté Kanyen'kehà:ka d'Akwesasne a commencé bien avant cette affaire de permis de construction. Au lendemain de la défaite française de 1759 en Amérique, les premiers Écossais qui ont débarqué sur notre territoire se sont installés sur des terres qu'ils louaient aux Kanyen'kehà:ka d'Akwesasne. Les Blancs ont fini par « acheter », à vil prix, ce qui allait devenir le canton de Dundee, avec la complicité du gouvernement fédéral de l'époque.

L'histoire de ce vol colonial a connu son aboutissement en 2018 avec la conclusion d'une entente de 240 millions de dollars, en guise de compensation financière du gouvernement fédéral envers la communauté d'Akwesasne[17]. Ce fonds doit servir entre autres au rachat de gré à gré de terres actuellement possédées par des citoyens allochtones, dans le canton de Dundee et la région de Cornwall, en Ontario. À la suite de cette entente, des résidents de la municipalité du canton de Dundee, dont sa mairesse Linda Gagnon, ont exprimé leurs craintes:

> Linda Gagnon admet qu'elle ne s'attendait pas à autant de remous quand elle a été élue mairesse du village, il y a un an et demi. « C'est un dossier avec lequel je dois gérer des émotions et beaucoup de frustrations », résume cette ancienne directrice d'école, qui déplore n'avoir jamais été consultée dans les négociations avec Ottawa.
>
> La mairesse craint surtout une chute libre de la valeur des propriétés de Dundee, et, à terme, une « vente à rabais ». C'est le « tissu social » même de la communauté qui est en péril, ajoute-t-elle[18].

Lorsqu'on analyse les statistiques du ministère des Affaires municipales, on constate que le canton de Dundee abrite une population d'à peine 400 habitants, vieillissante, et qu'elle se

---

17. « Tsi:karístisere/Dundee Claim Settlement Agreement Special Referendum », Mohawk Council of Akwesasne, septembre 2018.

18. Laurence Niosi, « Un Québécois en terre mohawk revendiquée », *Radio-Canada.ca*, 6 juin 2019.

situe au dernier rang de sa MRC en termes de vitalité socio-économique, avec un indice négatif de 12. Autrement dit, c'est le désert social, comme dans beaucoup d'entités municipales en ruralité. Or, la possibilité d'un développement conjoint du territoire, entre les Blancs et les Kanyen'kehà:ka d'Akwesasne, n'a pas du tout été explorée. Nous préférons tourner la tête plutôt que de donner un second souffle à la municipalité: le développement d'Akwesasne se poursuivra tout de même du côté ontarien, nous laissant sans perspective d'avenir de ce côté-ci de la frontière provinciale. La peur et le conformisme auront eu gain de cause.

Lorsque la mairesse invoque une chute libre de la valeur des propriétés ainsi que l'effritement du tissu social du canton, nous ne sommes pas loin des arguments de la théorie du «grand remplacement» qu'on entend trop souvent sur les ondes des radios poubelles américaines (et d'ailleurs en Occident). Ici, au Québec, c'est la peur du «sauvage» qui règne. Le gouvernement fédéral a beau poursuivre des négociations sur les différentes revendications territoriales autochtones un peu partout au pays, l'exemple du canton de Dundee illustre à quel point la cohabitation demeure difficile.

8

Un plan de repeuplement

Nous devrons faire preuve d'originalité et d'audace pour le repeuplement du territoire. Depuis la Révolution tranquille, nous assistons à la bureaucratisation et à la technocratisation des régions : le gouvernement du Québec, avec ses quelques ministères impliqués en ruralité, gère une multitude de programmes avec le concours d'un nombre important d'organisations sur le terrain vouées à la vie communautaire et municipale. Sans abandonner cette approche, qui a le mérite de soutenir et d'accompagner les différents milieux en ruralité, il faut constater l'efficacité relative des programmes élaborés au cours des dernières décennies. La ruralité en arrache. La désertification du territoire n'a cessé de prendre de l'ampleur.

Un des premiers éléments de réflexion concerne le mandat attribué à la Commission de protection du territoire agricole (CPTAQ). En vertu de la loi, ce mandat s'étend à l'ensemble du territoire communément qualifié de «vert», en référence aux activités agricoles. En 2019-2020, cela touchait 950 municipalités et plus de 6 307 000 hectares de territoire protégé[1].

L'objet de la LPTAA (Loi sur la protection du territoire et des activités agricoles) est d'assurer la pérennité d'une base territoriale pour la pratique de l'agriculture et de favoriser, dans une perspective de développement durable, la protection et le

---

1. *Rapport annuel 2019-2020*, Commission de protection du territoire agricole, p. 80

développement des activités et des entreprises agricoles dans les zones agricoles établies[2].

Au fil des années, la Commission a sans doute été en mesure de ralentir la progression de la ville au détriment du territoire zoné « agricole », mais elle ne l'a certainement pas stoppé, comme en témoigne le documentaire *Québec, terre d'asphalte*, d'Hélène Choquette, sorti en octobre 2021[3]. L'étalement urbain ne cesse de prendre de l'ampleur. La construction d'un troisième lien pour relier la ville de Québec à la région de la Chaudière-Appalaches irait dans le même sens : tout en perpétuant le rêve américain du tout-à-l'auto des années 1950, cette infrastructure ne sera pas sans effet sur la pérennité des terres agricoles de la région. Comme le dit un producteur agricole dans le documentaire d'Hélène Choquette, le phénomène de l'étalement urbain est sournois et progressif, tel un cancer qui se propage irrémédiablement :

> Un coup que t'es enclavé, les perspectives d'avenir sont minimes. La seule qu'il te reste, c'est de vendre au promoteur qui va vouloir t'acheter. Puis il va te mettre de la pression sur toi pour pouvoir t'acheter. En plus de prendre la terre agricole qui ne nourrira plus personne. C'est fini après.

La diminution constante des superficies agricoles semble un phénomène irréversible. À quoi sert une Commission de protection du territoire agricole si le gouvernement peut décider, par simple décret, de raser des terres agricoles, comme ce fut le cas pour l'installation du géant technologique Google en bordure de l'autoroute 30, à Beauharnois[4] ? Des terres fertiles ont été sacrifiées pour assouvir les besoins technologiques des urbains. L'ironie, c'est que la ruralité ne bénéficie même pas encore d'infrastructures numériques convenables.

---

2. *Ibid.*, p. 10.
3. Hélène Choquette, *Québec, terre d'asphalte*, Productions La Bille Bleue, 2021.
4. « Décret 953-2019. Partie 2 », *Gazette officielle du Québec*, 11 septembre 2019, p. 4288.

Alors, doit-on conserver le mandat initial de la Commission de protection du territoire agricole ou le transformer de fond en comble ? Nous savons que l'agriculture telle que nous la pratiquons aujourd'hui ne pourra plus suffire à une occupation saine du territoire d'ici les 30 prochaines années. Maintenir ce modèle de développement ne ferait que nous enliser davantage dans la dévitalisation sociale et économique de ce qu'il reste de la ruralité.

À l'heure actuelle, la moyenne d'âge des personnes qui pratiquent l'agriculture est relativement élevée. Les difficultés liées à la relève agricole et aux coûts de modernisation des équipements, conjuguées à la mise à jour des normes environnementales et de bien-être animal, favorisent l'intégration des entreprises, qui deviennent ainsi toujours plus grosses. La ferme de 1 000 vaches qui a tant fait jaser en France devient de plus en plus une réalité dans nos rangs. On a beau se targuer d'avoir encore une majorité de fermes dites « familiales » au Québec, le portrait change rapidement. Dans le secteur laitier, le nombre de fermes ne cesse de diminuer, malgré l'augmentation de la production. Les techniques peuvent bien être plus performantes, elles n'expliquent pas à elles seules toute la transformation de ce secteur. En 2019, ce sont 220 fermes laitières qui ont fermé, et 216 en 2020.

L'intégration est à nos portes. Dans 10 ans, combien de fermes et de maisons seront vides, témoins d'une vie passée et d'un modèle épuisé ? Faut-il abandonner la mise en marché du lait par la gestion de l'offre qui favorise – inévitablement – la performance et l'intégration ? Plusieurs intervenants de l'agroalimentaire voudraient qu'on révise en profondeur ce mécanisme de contrôle de la production qui structure et stabilise le marché du lait sous la forme de quotas, répartis entre les producteurs sur tout le territoire. Même si cette question épineuse mériterait d'être traitée plus en profondeur, on peut croire que la mise sur pied et le maintien du régime de la gestion de l'offre dans l'industrie laitière ont permis d'assurer l'existence de nos fermes familiales en ruralité. Au Québec, la ferme laitière est en quelque sorte l'épine dorsale de notre régime agricole. Sans la gestion de l'offre, nos fermes familiales auraient sans doute connu le même sort que les fermes françaises au moment de l'abandon des règles de gestion dans le marché européen, au nom du libéralisme. En France, au plus fort de la crise, une ferme cessait ses opérations toutes les 15 minutes. Notre modèle de gestion a donc permis de freiner cette dégringolade. Il n'en demeure pas moins que... grossir ou mourir : est-ce vraiment la seule alternative qui s'offre à nous ? La mise en marché n'a sans doute rien à voir avec la dévitalisation de notre ruralité, mais si nous n'ajoutons pas des outils au coffre de la CPTAQ, nous risquons d'en payer le prix collectivement.

Pour une nouvelle commission de l'occupation du territoire

D'abord, la Commission doit changer de nom et devenir un organisme ayant pour objectif premier non plus l'agriculture, mais l'occupation du territoire. Ici, on vise essentiellement le territoire situé hors des zones rattachées aux grandes villes du Québec. Cette nouvelle commission de l'occupation du territoire pourrait très bien conserver son rôle d'arbitre en matière de développement du territoire agricole à proprement parler, mais elle doit étendre ses compétences à toute la ruralité – ce qui inclut les territoires de la ruralité dite rurale qui se retrouvent parfois en dehors des 950 territoires municipaux sous l'actuelle juridiction de la CPTAQ.

Ensuite, cette nouvelle commission de l'occupation du territoire devrait relever d'un ministère dédié exclusivement à la ruralité[5]. Ultimement, elle aurait pour objectif de favoriser et d'encourager l'occupation et le renouvellement du territoire rural sur le plan humain. Il s'agirait en quelque sorte

---

5. Le modèle administratif de l'Ontario intègre clairement la notion de ruralité au sein de son ministère de l'Agriculture, de l'Alimentation et des Affaires rurales.

de reprendre l'idée de la clause interprétative de la « société distincte » de l'accord du lac Meech (projet de réforme constitutionnelle qui n'a pas abouti, dans les années 1990) et de la transposer à la ruralité en insérant dans la « constitution » de la nouvelle CPTAQ une « clause rurale » qui garantirait aux populations des territoires concernés le droit de dire leur mot lorsque vient le temps de prendre des décisions en matière territoriale. Ainsi, chaque décision concernant le territoire aurait l'obligation d'être prise dans l'intérêt du maintien des populations locales.

Dans son rôle de tribunal administratif, la commission devrait considérer en premier lieu l'occupation active du territoire par des êtres humains, dont ceux et celles qui sortent du cadre généralement établi par l'agriculture, qu'elle soit conventionnelle ou non. Le territoire rural ne doit plus être la chasse-gardée des productions agricoles.

Il n'est pas loin le jour où l'accaparement des terres aura pour effet de provoquer une inflation galopante et généralisée dans toutes nos régions. Depuis bon nombre d'années, outre la spéculation pour le développement immobilier et industriel, on voit se manifester dans nos rangs des conglomérats à la recherche de rendements purement financiers. À l'heure actuelle, ces « chasseurs de terres » s'activent en catimini, à l'abri des regards médiatiques. On a longuement fait état du cas des Chinois investisseurs au Témiscamingue comme étant une menace à notre souveraineté alimentaire. Or, ce fait anecdotique a largement été exagéré. Selon le dernier rapport de la CPTAQ, il appert que les transactions étrangères des cinq dernières années n'impliquent que des Canadiens et des Américains, aucun Chinois[6].

---

6. *Rapport sur les effets des modifications à la Loi sur l'acquisition de terres agricoles par des non-résidents*, Commission de protection du territoire agricole du Québec, février 2021. Concernant le mouvement de panique causé par des acquisitions de non-résidents chinois, la CPTAQ rapporte ce qui suit à la page 8 de son rapport : « Depuis la crise alimentaire de 2008, les terres agricoles, au Québec comme ailleurs, sont de plus en

Certains propriétaires d'entreprises profitent du départ à la retraite d'agriculteurs ainsi que des difficultés économiques du milieu agricole pour procéder à l'acquisition de terres et devenir de véritables seigneurs terriens. D'un point de vue d'affaires, on ne peut pas les blâmer. Par contre, cette concentration de la propriété foncière a pour effet de dévitaliser davantage les communautés rurales. Il n'est plus rare de voir certains rangs devenir de véritables fiefs d'une poignée de producteurs agricoles.

Actuellement, les productions agricoles du Québec proviennent de terres qui sont détenues à 84 % par des exploitants locaux. La proportion ne va pas en augmentant. Comme le soulignait Marcel Groleau, président de l'UPA, et Julie Bissonnette, présidente de la Relève agricole, dans une lettre publiée dans *La Presse* en mars 2021 :

> L'acquisition de terres par des fonds d'investissement ou par de grands propriétaires fonciers, qui vivent à des milliers de kilomètres des actifs qu'ils possèdent, est aussi une source d'inquiétude pour les milieux ruraux. Ces investisseurs n'ont pas d'intérêt pour le développement local et régional. Les propriétaires de fermes familiales réinvestissent massivement dans leur entreprise et leur communauté. Ils habitent le territoire, appuient les commerçants locaux, envoient leurs enfants à l'école du village, etc.[7]

plus perçues comme un actif financier avec un potentiel de rendement intéressant pour les investisseurs. Elles sont considérées de plus en plus comme une valeur refuge. En 2010, une rumeur circulait voulant que des investisseurs étrangers chercheraient à acquérir 40 000 hectares de terres agricoles au Québec. Cette rumeur, combinée à la présence de plus en plus importante des investisseurs sur le marché des terres, a semé l'inquiétude dans la société québécoise. C'est dans ce contexte que le gouvernement a ajouté des mesures plus restrictives à la LATANR [*Loi sur l'acquisition de terres agricoles par des non-résidents*] en 2013. Le législateur souhaitait ainsi maintenir les terres agricoles dans le patrimoine collectif du Québec et freiner la spéculation foncière. »

7. Marcel Groleau et Julie Bissonnette, « Financiarisation des terres agricoles. Quel avenir pour la relève ? », *La Presse*, 15 mars 2021.

Devant cette intégration tous azimuts de la production agricole, la ruralité doit s'interroger. Le jour où un canton n'aura plus que 3 fermes laitières de 1000 vaches chacune, bardées de roulottes de gens venus de l'Amérique latine pour un séjour de 8 mois, que restera-t-il de nos campagnes? Quand la majorité du territoire d'une municipalité rurale deviendra la propriété d'une oligarchie de producteurs, quelle sera la valeur de nos démocraties locales? Lentement mais sûrement, un véritable régime seigneurial s'installe à notre insu. Il faut absolument y réfléchir, et surtout avoir la volonté de casser le moule avant qu'il ne soit trop tard.

Soutenir les nouvelles formes d'agriculture

Nos territoires ruraux ont un urgent besoin de sang neuf. Pour les revitaliser, les gens doivent provenir de tous les horizons, sans exception. La nouvelle commission de l'occupation du territoire devra mettre un terme à l'immobilisme en acceptant d'emblée le morcellement du territoire agricole. L'occupation du territoire doit être mise sur un pied d'égalité avec la production agricole. On ne peut plus assumer une dévitalisation sociale de nos territoires au nom de l'agriculture et d'un passé qui nous sclérose.

Il faut permettre aux jeunes fermes de proximité de survivre au-delà des difficiles années de démarrage, de prendre de l'expansion et de se multiplier. Pour cela, il faut songer sérieusement à leur octroyer une aide à la stabilisation du revenu, un concept élaboré à l'époque où les nouvelles tendances agricoles n'existaient pratiquement pas. Il faut aussi permettre à la ferme vivrière de bénéficier des mêmes incitatifs fiscaux que ceux accordés à l'agriculture conventionnelle.

Le crédit fiscal municipal et scolaire lié à la pratique de l'agriculture doit absolument être dissocié de la zone verte. Le paiement obligatoire des cotisations syndicales à l'UPA devrait aussi être dissocié de ce crédit de taxes municipales et scolaires. Par ailleurs, l'exigence minimale de générer 5 000 $

Dominic Lamontagne et Amélie Dion sur leur ferme de
Sainte-Lucie-des-Laurentides. Le couple défend la paysannerie.
Source: Collection personnelle de Dominic Lamontagne.

par année afin de bénéficier de la reconnaissance du statut
d'agriculteur devrait être réévaluée pour inclure les nouvelles
formes d'agriculture, afin de soutenir les initiatives qui s'inscrivent dans la mouvance de l'autosuffisance alimentaire et de
la paysannerie. L'occupation du territoire avec un volet agricole
devrait être suffisante pour avoir droit à une pleine exemption
foncière aux niveaux municipal et scolaire. La compensation
versée par Québec aux municipalités servirait ainsi à financer
une partie de la nouvelle occupation territoriale.

La « ferme impossible » d'un artisan comme Dominic
Lamontagne[8] doit pouvoir se développer dans la liberté retrou-
vée de l'entrepreneuriat agricole, du genre de celui qui a autre-
fois jeté les bases de notre ruralité. Autrement dit, il s'agit de

---

8. Dominic Lamontagne, *La ferme impossible*, Montréal, Écosociété,
2015.

soutenir le « colon 2.0 ». L'occupation du territoire devrait aussi être paysanne, respectueuse de l'environnement et en symbiose avec l'être humain. Ce modèle doit prendre de l'expansion partout sur le territoire rural[9]. Il est temps de créer une direction de l'agriculture paysanne au sein du MAPAQ.

Comment se fait-il que le Canada soit le seul pays du G7 où la vente de lait cru est considérée comme un acte criminel qui peut être assorti d'une peine allant jusqu'à deux ans de prison ? Dans l'État de New York, et ailleurs en Nouvelle-Angleterre, tout un circuit agrotouristique s'est développé autour de la vente de lait cru directement aux consommateurs. De nouvelles exploitations ont vu le jour et le territoire a pu se diversifier. Depuis que ce marché s'est développé, les médias n'ont rapporté aucune hécatombe en matière de santé publique. Est-ce qu'une telle ouverture en faveur du lait cru remettrait en cause la mise en marché du lait de consommation ? Aucunement. Le lait cru représente un marché de niche ultra spécialisé. Le genre de produit qui convient parfaitement à une ferme de proximité paysanne.

Outre le lait cru, la culture du cannabis est un autre exemple de comment la ruralité s'est fait passer un sapin. Quand cette plante était encore prohibée, le territoire rural a été violé et utilisé pour des cultures illégales, le plus souvent au bénéfice du crime organisé. Dans la seule région de Huntingdon et des cantons ruraux avoisinants, on dénombrait environ 1 500 sites de plantation de cannabis au tournant de 2010. Puis vint la légalisation en 2018. Au lieu d'imiter le Colorado ou la Californie, et de permettre ainsi à la ruralité de participer au partage de cette nouvelle richesse, le Canada a tout fait pour compliquer les règles et favoriser les industriels. La production de cannabis n'allait pas se faire aux champs ! La législation québécoise, bien que constitutionnellement incompétente sur le sujet, interdit même toute culture de cannabis en extérieur sur son territoire. Une fois de plus, le gouvernement des villes

---

9. *Ibid.*

a laissé tomber la ruralité. Même l'UPA n'a pas cru bon de mener une bataille pour que le cannabis soit reconnu comme un produit agricole. Pourtant, au temps de la prohibition, la ruralité procurait de l'argent au crime organisé en fournissant l'ensemble du Québec en cannabis – une industrie souterraine représentant des milliards de dollars annuellement.

Cotisation à l'UPA et fiscalité municipale

Sans vouloir ressusciter un débat du siècle dernier, je trouve que s'il est une question demeurée sans réponse, c'est bien l'exigence de payer une cotisation syndicale à l'UPA pour avoir droit au crédit foncier municipal et scolaire. Dans son traité sur la ferme paysanne[10], Dominic Lamontagne nous rappelle un passage quasiment occulte de l'histoire de notre territoire, scellée à la veille du référendum de 1995 dans le bureau du premier ministre Jacques Parizeau. Les faits sont racontés candidement par le député péquiste Jean-Pierre Charbonneau lors d'une interpellation par le député libéral Bernard Brodeur à l'Assemblée nationale :

> 12 décembre 1995 – Jean-Pierre Charbonneau (député du Parti québécois) : Parce que le député pourra se souvenir de l'histoire de février dernier où le ministre avait décidé d'augmenter le minimum requis pour obtenir la carte [de producteur agricole] du MAPAQ de 3 000 $ à 10 000 $. À ce moment-là, cette décision avait été mal reçue par le monde agricole du Québec et principalement par l'Union des producteurs agricoles du Québec. Et, à la suite de cette décision, les gens de l'Union des producteurs agricoles, avec M. Laurent Pellerin en tête, ont rencontré le premier ministre, directement au « bunker », accompagné du ministre de l'Agriculture naturellement, pour leur faire part de leur mécontentement face à cette décision. Le ministre a, pour ainsi dire, fait marche arrière presque immédiatement et en est venu à une entente avec l'Union des producteurs agricoles, entente qui s'est reflétée dans le projet de loi 85. Naturellement

---

10. *Ibid.*, p. 41.

– on appelle ça peut-être, entre guillemets, un « deal », en fin de compte, pour le ministre – afin de racheter peut-être sa bévue de l'hiver dernier, il a consenti à une telle mesure en faveur de l'Union des producteurs agricoles du Québec[11].

Cette stratégie politique référendaire est non seulement douteuse et inéquitable, elle ne tient pas compte de la nouvelle réalité sur le terrain. Si on veut soutenir la pratique de l'agriculture sous toutes ses formes et s'assurer de l'occupation du territoire par le plus grand nombre de fermes possible, il est impératif de dissocier cette activité d'un statut syndical ou d'une zone verte. Dominic Lamontagne n'a pas droit au crédit fiscal pour sa pratique agricole parce que sa ferme, située à Sainte-Lucie-des-Laurentides, n'est pas localisée en zone verte. Comble de l'ironie, d'autres fermes comme la sienne doivent quand même payer leurs cotisations annuelles à l'UPA ! De toute évidence, il s'agit d'une mesure discriminatoire et contreproductive.

Par ailleurs, lier l'accès au crédit foncier municipal et scolaire à des ventes minimales annuelles de 5 000 $ complique inutilement le régime agricole. Actuellement, le gouvernement québécois assume environ 75 % de la facture fiscale des terres et bâtiments liés à l'agriculture. L'an dernier, le transfert de Québec vers les municipalités en vertu du Programme de crédits de taxes foncières agricoles représentait un montant de 130 millions de dollars. Mais pourquoi se limiter à 75 % de la facture foncière alors que certaines provinces, États et pays assument sa totalité ? Nous pourrions réfléchir longuement à la fiscalité foncière en matière agricole.

Si cette fiscalité a pour but de financer les services municipaux, la ferme moyenne n'y trouve pas son compte. Il s'agit même d'un non-sens ! Une ferme peut occuper une portion importante d'un territoire municipal, mais cela n'implique pas que ses occupants consomment plus de services municipaux.

---

11. *Ibid.*, p. 41.

Or, dans un contexte de hausse généralisée de la valeur des terres, leur compte de taxe s'en trouve disproportionnellement élevé.

Certaines personnes avancent l'idée de taxer la propriété non pas en fonction de sa seule valeur foncière, mais aussi en fonction de son rendement agronomique. Au lieu de s'engager dans cette réflexion complexe, qui nécessite des gymnastiques fiscales et philosophiques, il vaut mieux faire comme certaines juridictions et éliminer complètement la taxation foncière – c'est le cas de l'Alberta. Un nouveau régime de compensation pour le territoire agricole pourrait alors assumer la totalité de la facture, ce qui permettrait du même coup de contrecarrer une partie des effets pervers liés à la spéculation foncière. Pour le Québec, on parle d'un montant supplémentaire annuel d'environ 50 millions de dollars. Si on transformait cette politique fiscale en crédit foncier à l'occupation du territoire, en y incluant la ferme vivrière et toutes les nouvelles formes d'agriculture, les possibilités deviendraient intéressantes pour les municipalités dévitalisées, qui bénéficieraient ainsi d'un incitatif financier non négligeable.

* * *

Repeupler un territoire dans un contexte de dévitalisation est une opération complexe qui s'échelonne sur plusieurs années, voire plusieurs générations. C'est une véritable course à obstacles, car la solution doit tenir compte des résistances locales et des changements climatiques, qui sont intrinsèquement imprévisibles.

Le colon 2.0 n'est plus nécessairement un agriculteur ou un ouvrier associé à l'exploitation d'une terre, d'une ressource naturelle ou d'une industrie locale. Le nouveau colon est avant tout une personne qui s'installe en ruralité par choix. Il veut être ancré dans un territoire qu'il aura choisi. Il a un rêve à réaliser. Il peut débarquer du Maghreb ou de Hochelaga-Maisonneuve, être originaire du Mexique ou revenir à ses racines dans son village natal. Il peut aussi être un jeune retraité qui veut faire l'expérience de cette ruralité jusqu'alors inconnue, une fois avant de lever le camp pour de bon.

Sans la mixité sociale et la cohabitation, la ruralité demeure sans avenir.

Un mouvement pour la ruralité

Depuis quelques années, le militantisme s'est tu dans nos campagnes. Il n'est pas mort, mais il est devenu silencieux. Trop occupé à survivre. Saisir l'espace public pour défendre nos valeurs rurales semble avoir cédé le pas aux discours des grands centres urbains. Le printemps érable qui a soufflé sur la province en 2012 est venu cristalliser cette impression dans l'imaginaire populaire ; la jeunesse qui pousse est urbaine. Il s'agit du monde de demain.

Au lieu de blâmer « la ville » et « les jeunes », il faut se demander si notre militantisme rural s'est édulcoré au profit d'un corporatisme trop bien léché. Même en ruralité, il nous faut des artistes et des sportifs pour parler en notre nom. Imaginez un instant Laurent Duvernay-Tardif nous expliquer la vérité concernant le faux scandale du *Buttergate*[1]... Nous

---

1. En 2020, Sylvain Charlebois, chercheur et agroéconomiste à l'Université Dalhousie, en Nouvelle-Écosse, avait rendu publique une information concernant le régime alimentaire des vaches laitières au Canada. Dans le cadre de sa chronique au *Journal de Montréal* (« #Buttergate : un contrat moral brisé », 15 février 2021), M. Charlebois révélait que l'huile de palme (et ses résidus) avait un effet direct sur la fermeté du beurre lorsqu'elle était intégrée à l'alimentation des vaches. Cette information a vite provoqué un tollé dans la population, entraînant des prises de position complètement farfelues. On a accusé à tort les producteurs de lait du Québec et du Canada d'avoir trompé la population. Le *Buttergate* est l'exemple parfait du mépris ambiant envers le monde agricole et la méconnaissance du consommateur envers ceux et celles qui assurent son alimentation.

évoluons maintenant dans un monde d'images et de perceptions. La ruralité n'y échappe pas.

* * *

C'est dans la foulée des États généraux sur le monde rural convoqués par l'Union des producteurs agricoles qu'est née Solidarité rurale, en 1991. Regroupement d'organismes nationaux et de centaines de membres sur le territoire, Solidarité rurale est ainsi devenue la voix principale de la ruralité. Dans l'enthousiasme du moment, le gouvernement québécois s'était engagé à prendre conseil auprès de l'organisme lorsqu'il s'agirait de décisions touchant à la ruralité. Le président fondateur de Solidarité rurale, Jacques Proulx, raconte en ces termes le contexte de l'époque :

> Dans ce climat de désespoir tranquille, les gouvernements ne savaient trop que faire. On était, semblait-on, pris de court, en panne d'initiative. C'est dans ce contexte que l'UPA a convoqué les syndicats, les politiciens, les mouvements coopératifs et des représentants des citoyens à une vaste réflexion. Ce furent les États généraux du monde rural qui ont mené à un document phare qui fera date dans l'histoire du Québec, la Déclaration du monde rural, dans laquelle nous appelions formellement à refuser le discours de ceux qui considèrent la désertification du monde rural comme une fatalité[2].

Depuis la disparition *de facto* de Solidarité rurale, le champ a été laissé brusquement en jachère. Il y en aura pour contester cette affirmation puisque l'organisme Solidarité rurale existe toujours… juridiquement parlant. En 2016, Marcel Groleau, alors nommé président de l'organisme de façon intérimaire, exprimait sa vision de la défense de la ruralité :

> La prochaine année sera déterminante pour l'avenir de Solidarité rurale du Québec. Nous devons nous assurer que les divers milieux ruraux conservent une voix forte, consensuelle et struc-

---

2. Pierre de Billy, « Une entrevue avec Jacques Proulx. Sous les pavés, la terre », *Érudit*, n° 78, automne 1998.

turante dans le débat public, avec comme objectif spécifique la revitalisation et le développement du monde rural, de ses villages et de ses communautés.

L'organisme, toujours présidé par Marcel Groleau au moment d'écrire ces lignes, ne semble plus être ressorti de l'armoire à balai dans laquelle on l'a confiné en 2016. Six ans plus tard, le « dossier Solidarité rurale » fait partie des documents à classer aux archives. L'organisme, qui est en état de mort cérébrale, est maintenu artificiellement en vie par l'UPA.

Que faire ? Poser la question ne remet pas en cause le travail quotidien et le dévouement de tous ceux et celles qui sont actuellement sur le terrain et qui font avancer la cause de la ruralité. Ces personnes sont nos élus, nos fonctionnaires, nos organismes communautaires, ainsi que nos citoyens et citoyennes qui ont fait le choix de poursuivre leur vie à l'extérieur des grands centres urbains. Mais devant ce sombre constat et l'avenir incertain qui nous guettent, la ruralité doit s'organiser politiquement en dehors de l'agriculture, des partis politiques et de l'UPA. Même en matière d'éthique et de morale, le modèle actuel n'a pas de sens. Il est inconcevable de demander à un syndicat de propriétaires d'entreprises agricoles de porter à lui seul la défense de notre territoire. Jouissant d'un statut de syndicat unique dans la province, l'UPA est inévitablement devenue un partenaire du gouvernement dans plusieurs décisions d'affaires liées à la mise en marché, pour ne nommer que celles-ci. Même dans le processus décisionnel de la Commission de la protection du territoire agricole, l'UPA détient un rôle consultatif important. Tôt ou tard, les intérêts ne peuvent qu'être conflictuels et sujets à négociation entre quelques joueurs, au détriment de la ruralité.

Certains diront que la Fédération québécoise des municipalités peut très bien porter le chapeau militant, puisqu'elle regroupe majoritairement les entités municipales de la ruralité. Encore une fois, nous demandons à un groupe particulier d'intervenir en notre nom alors que le modèle municipal n'est qu'un facteur parmi d'autres lorsque vient le temps de militer pour notre survie. L'occupation du territoire ne doit pas devenir un simple dossier dans une liste de revendications ou de banals points à l'ordre du jour, sans quoi le militantisme s'en trouvera affaibli, encore une fois à notre détriment.

Il nous faut un mouvement libre et indépendant. Indépendant des organismes. Indépendant de l'agriculture et des ressources naturelles. Indépendant financièrement. La ruralité doit devenir une force politique indépendante des partis politiques.

S'il est un avenir pour notre territoire, il se bâtira avec des êtres humains qui ont fait un choix: celui de demeurer en ruralité. Que ces individus y soient depuis des temps immémoriaux, depuis des générations ou depuis seulement une semaine, nous devons faire appel à cette mixité sociale dont nous avons tant besoin afin de nous réinventer. La production agricole ne doit plus avoir un droit de véto sur l'avenir de la ruralité. Il en va de même pour l'exploitation des ressources naturelles.

Créer les circonstances favorables est possible. Et la seule façon d'y parvenir réside dans l'organisation. Actuellement, les forces rurales sont désorganisées. On voit quotidiennement sous nos yeux les effets directs de la dévitalisation. Par exemple, il est fréquent de constater dans nos médias régionaux – et maintenant sur les réseaux sociaux – l'existence d'un pont fermé ou d'un chemin abandonné durant l'hiver. Pourtant, la ruralité ne dispose d'aucun fonds de défense pour saisir les tribunaux et faire valoir ses droits. Nous laissons cette initiative aux simples citoyens qui n'ont pas nécessairement les moyens financiers de se faire entendre devant les tribunaux. Le résultat est simple: nos droits sont bafoués. C'est David contre Goliath. Avant de passer sous la coupe de l'austérité gouvernementale, en 2015, Solidarité rurale disposait d'un budget annuel de 900 000 $. Comment voulez-vous faire jurisprudence avec un budget si famélique? C'est impossible. La ruralité ne dispose pas des moyens nécessaires pour accéder au pouvoir judiciaire, l'un des trois piliers de notre démocratie. Nous nous privons ainsi de cette séparation des pouvoirs (*checks and balances*) qui nous permettrait de nous faire respecter en tant qu'entité.

* * *

Le mouvement rural pourrait très bien structurer son action autour de deux pôles : l'action politique et l'action judiciaire, un peu à l'image de ce que font aujourd'hui les Premières Nations dans leurs relations avec le Canada. Le modèle de la National Association for the Advancement of Colored People (NAACP) aux États-Unis représente également un modèle intéressant d'activisme progressiste.

Il faut aussi s'inspirer de l'esprit des combats menés ailleurs. À cette enseigne, la lutte paysanne en France doit nous servir de guide. Que ce soit à Québec ou à Ottawa, le gouvernement des villes doit nous rendre des comptes. La facture envers la ruralité s'est transformée en fracture sociale. La société d'aujourd'hui n'en a que pour le transport en commun et les infrastructures urbaines.

Nous vivons à l'heure du village global et nous comprenons la situation vécue par les urbains. Mais qu'en est-il de notre plan d'infrastructures rurales ? Où sont nos autoroutes électroniques ? Qui va payer pour le nouveau contrat social des urbains en matière d'environnement, de bien-être animal et d'agriculture ? De façon plus directe, qui va tenir la main de cette grand-mère morte à l'hôpital de région parce que des soins palliatifs ne sont pas disponibles chez elle ? Nous sommes tannés d'être parqués sur un territoire et de faire du temps, en attendant.

Il nous manque une personne comme Hauris Lalancette. Cet homme d'exception avait l'âme de la ruralité. Il l'incarnait simplement, dans toute sa vertigineuse grandeur. Issu d'une autre époque, il avait vu naître le Royaume de l'Abitibi du travail de ses mains et de celles de son père. Quel ne fut pas son désespoir de voir une partie de son pays s'envoler au profit d'un développement insensé :

> Qu'est-ce qu'on a fait pour qu'ils veulent nous tuer, eux autres ?
> Qu'est-ce qu'on a fait, nous autres, de mal pour nous empêcher de garder nos villages ?
> Pour nous empêcher de garder nos écoles ?
> Qu'est-ce qu'on a fait, nous autres, dans la société pour nous faire mourir ?
> Pour nous faire déménager ?
> [...] Non, je ne peux plus accepter ça[3].

Nous entrons dans une nouvelle ère. Il ne s'agit pas ici d'un simple transfert générationnel, mais d'un nouveau paradigme. La modernité nous place devant une alternative : mourir dans la résistance aux changements ou plonger dans un monde encore rempli d'inconnues et renaître. Nous n'avons plus rien à perdre.

Quand on regarde le Québec du haut de la station spatiale internationale, on peut voir ce qu'il reste de nous aujourd'hui. Représentant l'équivalent d'une ville américaine et de sa banlieue, nos 8,5 millions d'habitants occupent un espace grand comme le monde. Dans ce monde qui est le nôtre, la ruralité n'est devenue qu'un pâle reflet dans l'univers.

Qu'attendons-nous ?

---

3. Denys Desjardins, *Au pays des colons*, Office national du film, 2007.

Le Québec vu par la NASA, la nuit. *Source*: NASA.